自慢

社長的成長學習筆記

何飛鵬◎著

每個大廚都有「自慢」的料理，
每個職場達人都有自豪的本事，
本書就是作者從員工做到老闆的學習心得。
面對職場上的競爭與起落，
成功的最關鍵處在於態度。

商業周刊超人氣專欄作者
最自慢本事大公開

【自慢】日文中形容自己最拿手、最有把握、最專長的事。形容自己的拿手與在行，是不是比別人更好，其實不知道，但絕對是自己最自信、最有把握的事。

推薦序——工作者的價値觀／杜書伍……010
自序——一個人的自我學習對話……012

Chapter 1

自慢的觀念態度……023

一個人擁有這些正確的觀念與態度，不見得能立即成功；但是如果缺乏正確的觀念與態度，就算一時幸運，終究還是會打回原形，難逃失敗。

1 工作像螞蟻，生活像蝴蝶……026
2 情義相待，改變一生……029
3 別跟魔鬼打交道……033
4 奧妙藏在基本之中……037
5 閒話一句的承諾……042
6 無力負擔的奢華……045
7 鄉下人的矜持……049
8 工作不會傷身……053
9 尋找「自慢」絕活……057
10 口水多過茶……061

11 認識自己背後的「黑暗巨人」……065
12 工作成就定律：唯態度論……069

Chapter 2 自慢的成長學習

……073

無所不在的學習，描述了我一生的學習態度與方法。
也是我一輩子如果有一些成就，真正的關鍵原因。

13 學習，Any time，Any where……076
14 貴人出現，小人走開……080
15 一點聰明一點癡……084
16 對不在方法，對在人……088
17 策略與執行力……092
18 第一時間，勇敢面對……096
19 自殺以求生存……100
20 工作不當在野黨……104
21 承認自己是壞人……108
22 好做的事與把事做好……112
23 追根究柢的專業精神……116
24 少用判斷，多用計算：如何找到答案……119

Chapter 3

自慢的專業方法……123

經過不斷嘗試後，我自己找出許多工作的概念與方法，這些想法是不是最好的，我不知道，但這是我最自慢的方法。

25 從複雜到簡單：工作成就基本原理……126
26 想清楚、寫下來、說出來……130
27 有做、做完、做對、做好……133
28 工作的加法邏輯……137
29 準時是經營的原點……140
30 「好用」的人正當紅……143
31 做大生意打小算盤……149
32 如何成爲學習型人才……153
33 對專業絕對忠誠……157
34 你有解決問題的能力嗎？……161
35 突破自己的能力極限……164
36 該低頭時就低頭……168

Chapter 4 自慢的職場關係

自慢的職場關係……171

假設自己就是老闆，
義無反顧、全力以赴、相信公司、認同老闆，
變成老闆的好夥伴，成為公司的核心團隊，
我撐起公司的半邊天，為什麼要怕老闆？

37 如果這是你的公司……174
38 我確定公司不是我的……178
39 相信公司、認同老闆，否則……182
40 擁有公司的感覺……186
41 向上管理三訣竅……189
42 老闆有講理的嗎？……193
43 要五毛，給一塊……197
44 老闆能有多公平？……201
45 管理老闆的餿主意……205
46 老闆，我可以兼差嗎？……208
47 肚量成就一輩子的追隨……212
48 做不完的定律……216

Chapter 5

自慢的生涯抉擇 ……221

我永遠充滿「野性的鬥志」，只要我想要，不達目的，絕不終止。
不論面對多麼困難的情境，我絕對不會放棄，這些都是我相信的事，伴我度過人生每一個轉折。

49 野性的鬥志 ……224
50 千萬別做生意 ……228
51 遠離舒適圈 ……231
52 讓想像飛翔 ……235
53 你可以選擇不同的生活……239
54 追隨內心的呼喚 ……243
55 寬恕、諒解、海闊天空 ……247
56 你放棄了嗎？ ……251
57 認輸逃避的名字是「這不是我的興趣」 ……254
58 營造自己的世外桃源 ……258
59 大氣、骨氣、志氣 ……262

Chapter 6

自慢私房學 ……… 267

這些私房體悟，充滿了我個人的感覺，其實我也不太明白是否具有學理基礎，但至少在我的人生實驗中是正確的，就姑且稱之為「自慢私房學」吧！

60 太好的事，不能當眞 ……… 271
61 朋友從今天開始交往 ……… 275
62 最後一塊錢，手放開 ……… 279
63 Get it done & let them howl! ……… 283
64 照計畫賺錢與照計畫賠錢 ……… 287
65 憤怒的代價 ……… 291
66 當外界瘋狂時，你尤其要冷靜！ ……… 295
67 菩薩的禮貌 ……… 299
68 當我不再相信創意之後——創意vs.管理之一 ……… 303
69 創意形成與創意的執行——創意vs.管理之二 ……… 307
70 勉強別人，理所當然 ……… 311

推薦序——工作者的價値觀

聯強國際集團總裁兼執行長　杜書伍

從許多報章雜誌的訪談文章，我們隱約感知，成功者的職涯成長，似有其共通軌跡：踏入職場的第一刻，跟所有平凡的年輕人一樣，都是「摸著石頭過河」，會面臨許多做人與做事的問題；但是，冥冥中卻因爲依據自己的某種態度、特質、價値觀去面對，逐漸打下基礎、建立口碑；不自覺就贏得機會，獲得升遷，因而改變了整個職涯與人生。

一路行來，自己當時爲何會用這樣的態度、價値觀來處事與待人，往往是一種「冥冥中相信但又未必確認」的感覺；反而是嘗到成功的果實，或是受到拔擢而升任主管後，事後回想、歸納、追溯，才愈發堅信其價値。

然而，當自己逐步體悟到這些賴以成功的做事態度與處世價値，而回頭期望部屬也應具備時，一開始不免心虛、手軟；年紀愈大，閱歷夠多，對很多事情的

體悟更深，思惟更加剔透，才逐漸放膽要求。以上的情境，我相信是作者的成長心路歷程，也是大多數職涯成功者的心路歷程。而這些寶貴的職涯態度與價值觀，大多數只會在自己管理的範圍內來闡述與要求，而沒有大量的發散傳播，殊爲可惜。

職場工作，就是一連串態度與與價值的拔河：先加薪再加工作？還是多做事自然會加薪？同薪不同工合理嗎？還是吃苦要當吃補？……諸如此類情境，相信都曾在每個人的職場劇本中上演；但是，多數人面對諸如此類的「價值矛盾」時，自己雖不見得認同，卻不自覺受同儕、媒體影響。因此，「自慢」一書中集結許許多多的好文章，便能提供職場工作者非常好的觀念參考。

本書作者何飛鵬先生，長年擔任文字工作者，筆調十分流暢；對於一個職場工作者經常產生的盲點與迷思，用自己眞實的職場經驗去對應，讀來情境很鮮活，建議犀利而中肯。職場工作者看完文章，應能自我解惑，調整迷思與盲點；對企業經營來講，這些文章的流傳，也有益於職場文化趨於成熟與健康。我們非常樂見本書的出版與觀念的流傳。

自序——一個人的自我學習對話

一個平凡人，完全依照社會所提供的現成路徑，摸索前進：小學、中學、大學；讀書、畢業、工作；學習、檢討、改進；危機、挫折、轉機。所幸沒有在人生的波浪中滅頂，現在看起來還有機會在高度的競爭中全身而退！

這就是我——一個不願成爲公務員，只好闖蕩民間企業的工作者，從小職員出發，爲了存活，努力工作；慢慢追隨著組織安排的步驟，一步步向前邁進。順利但不代表沒有波折，學習、嘗試錯誤，調整、改進；再學習、再摸索，最後慢慢找到答案。從工作者、小主管、高級主管、決策者、創業者，我幾乎歷經了所有的層級，以及組織中所有的可能。

媒體是我的工作舞台，創辦《商業周刊》，讓我更深刻的體會企業經營與職場工作的互動，從不間斷的專欄寫作，讓我仔細的咀嚼、反思工作上的一切。最近幾年，我放棄了總體經濟的分析、評論；回歸個人、工作、學習成長、職場生活

體驗的分享。或許是因爲台灣讀者厭倦了社會的混亂，這個專欄得到我從來沒體驗過的回響，我自己與自己的自我成長、學習對話，成爲大衆讀者討論互動的題材。

經過一段時間的嘗試，我的專欄逐漸找到「標準作業規範」，每一篇都從一個具體的現場情境開始，也許是一個場景、一個說法，或一個辦公室短劇；接著再導入我的觀點、對策，有些還有步驟、方法，最後有我個人的建議與結論。

每一篇的劇情，都是眞的，都是我與同事、朋友實際發生的情境。但經過修飾，以免對號入座，引起困擾。其中的觀念、想法、架構、邏輯，都是我深刻的體驗，也是我內心不斷自我探索、對話的結果，我手寫我口，我口說我做，我做源於我思、我想，而我想則反應了我長期以來的學習與改變，這一切，充滿了我原創的何氏風格。

原創指的是表達形式，但核心概念、價値觀，我事後看來，毫無創新之處，因爲都是最基本的社會價値觀，也是一般人耳熟能詳，接近八股的原則與態度，例如：道德、樂觀、認眞、堅持……。

這證實了我是個平凡的工作者，我用自己的體驗，重新註解了每一個人在工作、待人、處世、生活上共通的普世價值，或許是因爲我誠實，願意開放內心世界與大家分享，也或許是因爲內容具實用價值，所以讀者也給了我一些掌聲。

現在，我把這些體會集結、整理，重新呈現，其實是想給自己留存，並不敢期待能給讀者更多啓發，就容許我這個平凡人，再做一次讓自己感覺良好的事吧！

「自慢」是什麼？「自慢」怎麼說？

書名用「自慢」，這兩個字是日本語法的中文，指的是一人最拿手的事物，最常見的用法是餐廳貼出的宣傳文案：味自慢……，就表示某某菜是餐廳廚師的最自信、最有把握的絕活。這種說法與我的工作哲學完全吻合，因此「自慢」變成了書名。

我對工作的想法是，每一個人存在的價值是因爲他有一種能力，或專長，或專業，十分自信，很少人能比，每一個人用這種能力服務別人、效力公司，贏得認同、贏得尊敬，也賴以安身立命。

這正是「自慢」的意思，每一個人都要找到「自慢」的絕活，要努力學習「自慢」的專業，在現代職場上，每一個人用「自慢」的專業提供服務，相互滿足，「自慢」形成每一個人的核心價值。

我進一步體會「自慢」的含意，背後的意境發人深省：

（一）「自慢」隱含了一個人一輩子的承諾及永遠的追逐，才有機會形成自己最拿手的「自慢」。「自慢」是每個人一生的榮譽也是心靈的認同。

（二）「自慢」是追根究柢的研究、學習與永不停止的反覆練習，才能形成。這可能是畢生的苦功。

（三）「自慢」是自己最拿手的絕活，是壓箱底的工夫，但並沒有驕傲自大的意思，反而有一點野人獻曝的謙卑，展現「自慢」是期待呈現最完美的自己，讓別人得到最大的滿足。

如果我這些體會沒錯，「自慢」不就是人生最完美的形容嗎？我們的努力，就是要找到自己的定位、找到自己的價值，服務別人、奉獻社會；同時也找到自己安身立命的生存方法。「自慢」不就隱含了所有的意思，我們一輩子追逐「自

慢」、培養「自慢」、揮灑「自慢」、奉獻「自慢」、販賣「自慢」，用「自慢」連結外在世界，也用「自慢」彰顯每一個人的價值。

一輩子我都在努力學習「自慢」中。

媽媽的身影，媽媽的身教

這本書雖然是我自己和自己的學習對話，但還是有許多基本的核心價值，並不是我原創的，那是來自我媽媽行爲的耳濡目染。

我六歲喪父，父親沒有留下財富，只留下債務，還有八個未成年的小孩，我是老六，這個情景在四十幾年前的台灣，辛苦可以想見，媽媽巧手做裁縫，用雙手養活我們。

媽媽忙到沒空給我言教，但身教卻每天都在發生。

到現在爲止，我午夜夢迴，都還能聽到媽媽踩縫紉機的聲音。那是小時候伴我入睡、半夜吵醒我的樂音。媽媽全力工作，教我的是全力以赴；不向環境妥

協，教我的是永不放棄。

我沒見過我媽媽哭過，印象中只有她轉頭離開，與別過臉去擦眼淚的樣子，不管日子多苦，媽媽總是用工作、用行動活下去，她沒告訴我要樂觀，但她一直都相信明天會更好。在媽媽身上我學到堅強、堅毅、樂觀、正向思考。

媽媽還讓我知道上天是公平的，她三十歲以前是少奶奶，父親事業飛黃騰達；但四十歲陷落，她常笑著說：好日子過完了，現在輪到壞日子，沒什麼好怨的。我承續這種看法，天理昭彰，我相信上天會按我的作爲處罰我或回報我，要相信公理正義，終將彰顯。

媽媽是個小老百姓，她沒教我要道德高尚，但細竹枝打出我的守本分，不是我一介不取（見〈鄉下人的矜持〉），因爲那是偷，看到現在的台灣社會，我知道守本分有多重要。

小時候還記得家裡有許多父親輝煌時留下的珍稀物品：舊鈔券、龍銀、犀牛角等。長大後，這些東西都不存在了，因爲親戚朋友有需要或喜歡的，媽媽就送人了。媽媽告訴我們：有肚量就有福氣，身外之物別斤斤計較。我不認爲自己大方，但我期待自己不要小鼻子小眼睛。在肚量這一課，我從媽媽身上得到啓發。

媽媽現在已不能和我對話，但看到她堅毅的臉龐，我知道我身上流著媽媽的血液、她的性格、她的基因，我也沒有背棄她的堅持、她的想法。

老闆是夥伴，不是敵人

有讀者認爲，我是公司的說客，老闆的打手，寫的都是要工作者配合公司，好好替老闆打工。

我不否認我有這種想法，但絕對不是說客或打手。我認爲現在的資本主義社會，就宛如一場F1賽車，公司、老闆、工作者組成一個賽車隊，公司是賽車，是載體；老闆是賽車手；而工作者組成所有的協力團隊。工作者與老闆團結一致，都未必能在競爭中勝出，如果互相嫌隙、鬥爭，那賽車不只會輸，還會碰撞，所有的人都將粉身碎骨，因此工作者應信賴最親密的夥伴——老闆，也要對公司有信心，基本態度是認同與合作，而不是懷疑與鬥爭。

當然，如果公司爲富不仁，老闆心術不正，怎麼辦？事實上，工作者與公司及老闆是對等的，不只公司選擇我們，我們也選擇公司，對壞公司、壞老闆，我

們用「腳」投票，遠離他們。缺乏我們這些好員工，衆叛親離，他們很快就會被淘汰。離開是我們對付壞老闆的方法，而不是留在公司抱怨、懷疑、消極抵抗，變成公司裡的深宮怨婦與邊緣人。

因此我的職場策略是：認同公司，相信老闆，全力以赴，成爲公司的主流派、執政黨，用最好的績效，贏得市場競爭，讓公司賺到最多的錢，個人也因而升官發財，這是個人在公司中的最佳狀況，也是職場關係的良性循環。但如果無法在公司中獲得認同，成爲主流派，那也要義無反顧的離開，公司中的小媳婦是可憐而痛苦的，盡早離開去尋找認同你的公司與老闆，而不是留在原地哀怨、憤怒、不作爲，這樣只會加速你成爲被公司淘汰的人。

當然要成爲老闆重要夥伴的態度，有一個重要的前提，就是你是一個「自慢」的工作者，能力強、條件佳，你的選擇性高，有談判籌碼，公司要依賴你賺錢，但這時候你也不能拿翹（見〈菩薩的禮貌〉），魚水和諧的夥伴關係，是人生最高境界。

在面對公司與老闆時，我還有一個核心觀念，就是「用老闆的角色思考，從

公司的立場工作」，當我們知道老闆在想什麼時，老闆會變成容易應付的人（見〈要五毛，給一塊〉），工作會輕鬆愉快，當然如果我們有心，會很快學會所有老闆應該具有的能力與態度，很快我們就會當老闆了，那將是另一種境界。

不論我是如何正向來看公司、老闆，也認爲要用最和諧的態度對應，但無論如何，我還是站在工作者的立場，我要讓所有的工作者知道，老闆是另一種動物，他們想的和工作者不一樣，知道公司和老闆在想什麼，當工作者與老闆的利益衝突時，我們才能夠知己知彼，百戰百勝。

冒險精神，自己慢慢培養

在全書中，讀者應該可以體會出我字裡行間中的冒險精神，我都用積極進取、迎向挑戰的態度來工作，來面對變動。

這是我的個性使然，我全身充滿了冒險的血液，安定的日子過了三天就開始厭煩，同樣的事情多做幾次就無趣，面對變動我眼睛發亮，面對困難、挑戰，我鬥志昂揚。

這種特質是天生的，但可以在工作中慢慢培養，尤其當我們面對新事物時，這種特質就非常重要。

學習是我們一生中最重要的特質，「自慢」無法天生，全靠學習完成。而面對新事物時，學習又是化解未知的關鍵，這時候冒險精神，喜好變動，就是學習背後的引擎，培養冒險精神恐怕是每一個想養成「自慢」的工作者，不能不面對的問題。

不能不冒險進取，還有一個重要原因：在現代資本主義社會中，沒有輕鬆過日子、簡單生活的可能，輕鬆就會被淘汰，輕鬆就代表收入很少，收入很少就代表失敗，也就是現實生活欲求不滿。每一個人在職場中，都是過河卒子，只有勇敢向前。

只要在公司，你不可能放慢腳步，輕鬆過生活，因爲會連累組織，喪失競爭力，獲利不佳，公司容不下放鬆腳步的人。想放鬆只有一個方法，成爲獨立工作者，離開公司，或回歸田野，自己過生活。

有許多篇文章，都在探討這個問題，我不反對選擇輕鬆，但在企業中是不可能的，不只不可能，每個人還要冒險進取，迎接變動。

修煉的現在進行式

當我整理完所有的內容，我忽然害怕起來，因爲許多的說法，對我而言，我並沒有完全做到，或許應該說，所有的內容都是學習的現在進行式，我正在前往、接近這些觀念、這些價值的途中。

我應該這樣說：自我的學習對話，永無止境，不會完成，只會接近。當我們有心，當我們願意開始，我們就在成長的途中。

我早開始了幾步，這是一張方向指示圖，歡迎一起來！

Chapter ❶
自慢的觀念態度

一個人擁有這些正確的觀念與態度，
不見得能立即成功；
但是如果缺乏正確的觀念與態度，
就算一時幸運，
終究還是會打回原形，難逃失敗。

人為什麼會成功？又為什麼會失敗？是因為個性，還是能力，還是機運……還是都有關係？對我而言，這些都是，也都不是，我是唯心論者，我認為一切都取決於內心的想法、觀念，以及因為這些想法、觀念，投射到具體的事物上，所形成的態度。

舉例而言，如果你認為這世界是公平的，只要努力，必然會有回報，這是觀念。因此你做事的態度是健康的、是樂觀的，全力以赴、永不放棄。如果你認為天下無不勞而獲的事，這是想法，因此你不會想抄近路、走捷徑，想賺容易賺的錢。

我還發覺，所有正確的觀念、正確的態度，幾乎都是人類最基本的原則：誠實、努力、認真、負責、仁愛、品德、快樂、堅忍、謙虛……，這好像在上最基本的公民與道德課程，但我不能不承認，所有這些看來「八股」的東西，都真正決定了一個人的命運。

或許我應該這樣說：一個人擁有這些正確的觀念與態度，不見得能立即成功；但是如果缺乏正確的觀念與態度，就算一時幸運，終究還是會打回原形，難逃失敗。

因此，我成就自慢的第一課是：擁有正確的觀念，形成正確的態度。

1. 工作像螞蟻，生活像蝴蝶

有人說「工作中的女人最美」，我完全同意。當人全力投入時，聚精會神的執著，會讓人尊敬；而全力以赴，努力不懈，也會讓當事人充分享受過程的樂趣。或許其中有痛苦、有煎熬，但這也都是生活的一部分，甚至是生活中快樂的來源，每天錦衣華食，久而無味，非要有一些曲折、有一些磨難，生活的樂趣才能顯現。

雲南納西族給了我們最智慧的啓示。

辦公室的同事從雲南回來，帶回一方木刻文字畫，同事告訴我，這是世界唯一仍在使用中的象形文字——東巴文，畫中我可以清楚的看出來一隻螞蟻與一隻蝴蝶，其他的字，我就看不懂了，翻開背面，這一方木刻象形文字的意思是：工作像螞蟻，生活像蝴蝶。

我不知道贈送者眞正的來意，意味著我像螞蟻一樣苦命工作呢？還是生活像蝴蝶一樣的多彩多姿？或者贈送者根本就沒有任何指涉，只不過因爲木刻象形文

字質樸而韻味十足，因而好意買回相送。對我而言，我倒是心領神受，像極了我個人的工作哲學。

不論是工作像螞蟻，或者生活像蝴蝶，都是我人生的寫照。工作全力以赴，從不留力，從不問會得到什麼回饋。因爲從工作中，我已經從過程中得到無數的經驗與樂趣。而螞蟻正是最好的形容：一點一滴，步步爲營，聚沙成塔，最後成就一點點成果，人不就是如此？如果你覺得成就小，如果你覺得工作苦，你會像螞蟻一般工作嗎？

或者說，有人甚至會覺得像螞蟻一樣工作，是多麼悲哀啊！沒有自我，在團隊中像一顆螺絲釘，又那麼微小而脆弱，多可悲啊！可是我從來就是如此；每一個人在工作上，就像螞蟻一樣微小，只能全力以赴，至於要有什麼回報，只能靠老天爺賞飯吃。這是謙卑的宿命，這也是無悔的執著。

至於生活像蝴蝶，這更是我個人的寫照，看什麼事都是快樂、樂觀的，充滿變化，鮮花滿途，等待我這隻蝴蝶，不斷的探視、發現、採擷。我不會因爲工作沉重，意外打擊而懷憂喪志，因爲生活總要過下去，高興如此，痛苦亦然，爲什麼不用愉快、樂觀的心情，看待生活的每一段過程呢？快樂是生活的本質，探索

也是樂趣的泉源，而蝴蝶正是生活的寫照。

想像中，納西族生活在雲南深處，他們沒有很好的物質生活，他們離現代的文明可能也很遠，但是這兩句話卻道盡了現代人看不破，也未必想得通的生活態度，我欣然地接受了這方木刻文字畫，也嚮往他們務實、灑脫、怡然自得的人生態度，讓螞蟻與蝴蝶的角色在我身上變換，人生只不過是過程，休問結果，問結果恐怕就輕鬆不起來了！

後記：

這篇文章得到許多回響，講義雜誌的林獻章兄來信，要求轉載在雜誌中，我欣然同意。而且我發覺在現代緊張的社會中，有太多人像螞蟻的苦命，但缺乏像蝴蝶的豁達與快樂，尋找自己的人生觀，想怕是對每一個人來說最重要的事。

用這篇做為全書的開端，象徵著人生一輩子的探索學習歷程。

2. 情義相待，改變一生

每一個人都需要別人的幫助，長官、同事、朋友都可能是你的貴人，為什麼在關鍵時候，別人願意為你伸出援手？原因很簡單，因為你將心比心、有情有義、以誠相待。

當別人感受到你「有情有義」的訊息時，他們會視你為自己人，因此有機會會給你，有困難會幫助你，每一個人也都在情義相挺之下，不斷在危機中化險為夷；也在情義相挺之下，得到人生最大的機會！

二十八歲那年，我面臨人生重要的抉擇，那時我在《工商時報》的廣告部門工作，因爲興趣的原因，我決定請調回《工商時報》的編輯部當記者，可是我的直屬上司廣告部的總經理對我非常賞識，愛護有加，讓我始終下不了決心啓齒，面臨了人生最大的煎熬。

最後我終於下了決心，選了一個工作的空檔，我鼓起勇氣向總經理表白：「因爲興趣，我想回編輯部當記者，希望總經理成全。」沒想到我的總經理極爽快

就答應了。他告訴我：你是天生的記者，遲早不是我們廣告部的人，你在廣告部工作一年半，我已經很滿意了！

我沒想到事情這麼容易就辦妥，但接下來更大的意外發生了。總經理又問我：「那你和編輯部那邊說好了嗎？什麼時候調回去呢？」我回答：「我完全沒有和編輯部談過，我到廣告部來受總經理的照顧，沒有您的同意，我不敢去做任何安排。現在你同意我調回，我才要開始和編輯部溝通！」

總經理對於我對他的尊重十分感動，他接著說：「你既然沒有安排，那何必回那個新創刊的小報紙（《工商時報》那時創刊不久）呢？我介紹你去發行量一百萬份的《中國時報》！」

我彷彿在夢中，就這樣我轉到了夢寐以求的《中國時報》工作，我的後半段人生也因而徹底轉變了。當時《中國時報》號稱台灣第一大報，在那工作，開啟了我的視野、開闊了我的經驗，那是我一生的轉捩點！

我永遠記得這個故事，也記得這位總經理，但我更知道，如果我不知感念他的栽培，不尊重他的感覺，逕自安排好回《工商時報》工作，那他不會替我安排《中國時報》的工作，我也沒機會進當時的台灣第一大報！

人心是肉做的，對別人的好，要心心念念，不能或忘。當時我剛畢業不久，在《工商時報》廣告部的期間，總經理給了我充分發揮的舞台，在他的賞識下，我全力以赴，做了許多讓我一輩子回味無窮的事。但也因爲如此，當我想離開時，我擔心的是辜負了主管對我的賞識，辜負了他栽培我的苦心，因而痛苦煎熬，難以啓齒。

最後我決定向他坦白，如果他能諒解，我才離開，如果他有爲難，我還會繼續留下來。也因爲如此，我才沒有安排退路。我覺得沒有獲得賞識我的主管的同意，我不應該輕言離開！

我這一點將心比心的尊重，讓我的主管覺得不枉過去栽培我一年半。他幾乎是用他所有的信用，向《中國時報》的總編輯推薦我，沒有經過任何的考試，我的貴人引領了我一生中最重要的一次轉變。

我永遠記得，工作不只是工作，還有感覺、感情、朋友。要記住別人的好，要記住以情義相待，當你處處替別人想，別人也會同理相報。如果你只計算自己的利害得失，損失的可能不只是可數的財產，還有一輩子無法改變的機會！

後記：

寫完這篇文章的半年後，我再遇到這位提拔我的總經理，他握住我的手，告訴我：我看到你寫的文章了！我感受到他手中傳來的暖流，那是來自朋友「自己人」的手。

3. 別跟魔鬼打交道

「無奸不商」，生意充滿了無所不用其極，但真的是這樣嗎？也不盡然，這還要看每一個人的性格，每一個人的選擇，如果你是一個天真、純樸的人，如果你選擇走簡單的路，那你就別跟「魔鬼打交道」。

送禮、賄賂、説謊、詭詐、虛偽、逢迎拍馬……，這些都是魔鬼，魔鬼有時確實會讓你得到「easy money」，會讓你立即得逞，但是所有的人，也都會察覺，你不再是可信賴的人；而在魔鬼的道路上，只有血腥的弱肉強食。

城邦是一個綜合性的出版公司，幾乎所有類型的出版品我們都有經營，唯獨教科書和教輔這個類型是一片空白，而這個類型又是出版界兵家必爭之地，爲何城邦做爲全台灣最大的出版集團，卻獨缺教科書呢？

這是我心中永遠的遺憾，因爲我們都是簡單的人，只能做單純的生意，在市場上拚搏、把產品做好、取悦讀者，這是最單純的事。而教科書、教輔，生意雖

大，也很好賺，但是這個生意要取悅的人太多了：從教育主管機關，到整個教育體系、家長、學生，其中牽涉到的不只是品質，還有複雜的政治、人脈、關係考量，當然還可能有骯髒的「權錢」交易，我個人認爲：在神聖的教育體系中，卻隱藏著最骯髒的出版生意，這是我們沒有能力做的事。因此我們只好讓最賺錢的領域，留下一片空白。

這或許是性格使然。當記者的時候，我退回採訪對象的現金紅包，我當面撕掉別人給的空白支票，我調侃採訪對象：我很樂意被收買，但要天文數字才收。我知道以我心慈手軟的個性，心中容不下複雜的邏輯，我無法和魔鬼打交道；以我近乎愚笨的天眞，我只能直道而行、直來直往。賄賂、回扣、送禮、應酬，這些事我做不來，也不敢做，就算其中有再大的生意，也與我無關。

我也曾經猶豫過，因爲有時候只要我願意妥協，願意配合市場上通用的「規矩」，我就可以拿得到生意，而我也確實曾經嘗試與魔鬼打交道，但結論是人家罵我：笨到連送紅包都不會！我知道這不是我的錯，笨人只有一步一步慢慢來，抄捷徑、走近路，反而會迷路。

不只在生意上，不能與魔鬼打交道，在工作上，許多事也被我視爲「魔鬼」：例如利用公司資源，占公司便宜；走後門，對主管逢迎拍馬。這兩件事表面上看起來沒什麼，因爲做這種事的人太多了，多到讓人會覺得這種事是理所當然的。但同樣的，對我而言，並不是我不想這樣做，我也知道如果我能這樣做，我會得到立即的好處，但「近乎愚笨的天眞、直率」，讓我做不來、做不下手。

我努力保持「公平」，拿公司薪水，努力替公司做事，希望我的貢獻對公司物超所值。絕不要去占公司便宜，因爲便宜占多了，占習慣了，我就會喪失獨立生存能力，成爲公司的寄生蟲，因此占公司便宜也是魔鬼。

至於走後門，逢迎拍馬，則會讓自己變成「小人」，變成靠關係，靠取悅別人存活，而不是靠自己、靠能力，不能活得有尊嚴、有自我。

每個人心中，都有兩個靈魂：一個是人，一個是魔鬼。人講究的是規規矩矩、按部就班，一步一腳印，靠自己的能力，努力慢慢來。但魔鬼的性格，充滿了捷徑、巧思，即時可得的利益，但這不是人的正途。每一次與魔鬼打交道，人就陷落一次，最後就不像人了。

後記：

蘋果日報的曾孟卓總經理，寫了e-mail鼓勵我，也影印傳閱了這篇文章，因為我們都是天真而簡單的人。

4. 奧妙藏在基本之中

許多事都講究基本，所有的運動，都要求基本動作，中國功夫也講究基本功；企業經營則要求「Back to Basic」；股票投資則說回歸基本面。基本琅琅上口，但真正做到基本，願意真正依循基本的人並不多。

所謂的基本，通常是最入門、最簡單、最不起眼的東西，所有的人都覺得會，都不重視它，以至於也從來就沒有真正做好過，一旦有人真的做好，反而成為稀有的競爭優勢。

每個人都喜歡「巧」的東西，談話溝通要有巧妙的應對，就像紀曉嵐一樣；工作希望有「巧」計、有「巧」法，就像孔明借箭一般；做人處世，希望靈活靈「巧」就像和珅一樣長袖善舞。「巧」有時就像變魔術一般，令人拍案叫絕，甚至可以用最少的力量，獲得最大的效果。

每個人也都希望得到「巧」的錦囊，學會巧思巧法，面對任何困難，只要打開錦囊，巧思巧法就跳出來，一切困難迎刃而解。

但世界上眞有「巧」的東西嗎？答案是肯定的，只不過「巧」的奧妙，不能傳，也無法學，如果你只想「巧思妙法」，終究只是一場空。

宏碁集團的義大利籍總經理蘭奇，他的一句話道盡了奇技淫巧的不可恃，一切只有基本功夫，這或許是大多數迷惑於「巧思妙法」的人的當頭棒喝。

蘭奇認爲：宏碁歐洲的成功，沒有Magic，只有Basic。沒有魔法，只有基本功，說明了宏碁歐洲的成功，沒有任何學問，只是能把基本該做好的事做好而已。我們可以相信蘭奇的話，沒有任何保留，也非祕技自珍，他眞正說出了一切奧妙的根源。

其實世間所有的道理，都非常簡單，做人該按部就班，待人要誠信，不能說假話，這都是眞理；只不過，在複雜的社會中，大多數人被迷惑了，認爲花言巧語，認爲奇謀巧計，認爲奇技淫巧，可以更快速奏功，結果是花拳繡腿，一無是處，禁不起考驗。

我從事的出版工作，每年要出版無數的出版品，每個出版品就是一個單一的商品，大多數人想要暢銷，想的是行銷、想的是造勢、想的是宣傳，當然想的是

賣書的巧思與創意。

可是這一切都不值一提，任何的巧思制度，抵不上「回歸基本」這句話。在出版領域，書的暢銷的基本原理是什麼？答案很簡單：內容、內容、內容，這是多麼無趣和基本的答案，可是大多數人想的不是內容，想的是浮誇的表象。

一切「Back to Basic」，回到基本，回到原理、原則，是一切工作的本源，當你徹底瞭解原理原則，一切融會貫通後，許多奇技妙法也會油然而生，這是從有招到無招的過程，但是奧妙藏在基本之中，「Back to Basic」是巧思奇謀的開始。

後記：

❶ 這篇文章登出後，台灣最大的面板廠友達，邀請我前去演講，講的就是「回歸基本」，學員問我：到底企業經營上的基本是什麼？我的回答是：最基本的公司工作規則、職場倫理、流程、SOP、Best Practice、紀律……等。當然還有許多教科書上所教的基本學理，也都是基本，如：基本行銷學、組織學原理，我們學多了新理論、新工具，反而忘了最

簡單的事。

❷ 個人的基本是什麼？

這幾年台灣有兩本暢銷書，一本是《優秀是教出來的》（雅言出版）！這是一位美國老師寫來教育小孩子的書，內容是「超基本的五十五條規則」，再看看具體的內容，其實沒有任何新意，例如其中第十六條：每天都要做完作業；第三十條：吃完飯，自己的垃圾自己處理。所有的內容都是大家共識、共知的內容。

另一本是英國出版的暢銷書，名叫《好家教決定未來領袖》（"YES, PLEASE, THANKS!"，新手父母出版），這也是談論小孩的基本禮貌教育，以英國那個自以為是紳士的社會，他們也出現類似回歸基本的反思，在台灣也引起極大的回響。

以下列出「超基本五十五條」的部分內容：不只教小孩有用，成人更具參考價值：

- 與人互動，眼睛要看著對方的眼睛

- 別人有好表現，要替他高興
- 尊重別人的發言與想法
- 別人送你任何東西，都要說謝謝
- 接到獎品和禮物，不可以嫌棄
- 做什麼事都要有條理
- 自己的理想自己要堅持
- 要樂觀，要享受人生
- 別讓將來有遺憾
- 從錯誤中學習，繼續向前邁進
- 不管如何，一定要誠實
- 抓住今天
- 在你的能力範圍內，做最好、最好的人

5. 閒話一句的承諾

信用是人一輩子最重要的資產，有人重信用更甚於生命，或許這只是自勉勉人的話，但無論如何，信守承諾是每一個人必須遵守的規則，也是成功者必須擁有的特質。

海派的上海人最喜歡說的一句話就是「閒話一句」，用濃濃的上海口音說出的「閒話一句」透露著瀟灑、自信與商場上的一言九鼎，代表就這樣說完了，生意談成了，不需要合約，我一定信守承諾。

現在嘴巴上的承諾，很少人當真，但遇到信守閒話一句的承諾的人，還是令人肅然起敬！

有一次，台灣最知名的自行車品牌捷安特的老闆劉金標先生來電，希望在台北與我見面，我客氣的回答，我願南下台中，請他不用移駕，但他客氣的堅持前來台北，我心中十分納悶，有什麼事劉先生需要如此愼重呢？

見面後，劉董事長首先表示歉意，因爲《經濟日報》記者以第三者的角度寫

了一本捷安特的成功傳奇，即將出版，而劉董事長在盛情之下，也爲之作序。劉董事長自承，幾年前曾經答應我，如果要出書，一定委託我的出版社出版，雖然這本書並非出於公司意願出版，但是怕我誤會，特地前來說明，並表達歉意。

對劉董事長的歉意，我不敢受也不能受。他走後，我終於慢慢回想起當年的情景，我力邀捷安特作企業傳記，劉先生婉拒，但閒談中承諾，他日如要作傳，定交給我出版，這只是閒話一句，根本談不上承諾，連我這個被承諾人都沒有當眞，幾乎完全忘了這一回事，而劉先生銘記在心，始終不忘。

劉先生離開後，我思潮起伏，久久不能平復。我幾乎不能相信，台灣商場上還有這樣信守承諾的人（事實上那只是一句閒話），而劉董事長專程前來拜訪，只爲了不經意的一句話。更何況，那是別人出的書，根本也與他無關，但他仍然在乎我的感受，怕引起我的誤解，不惜專程從台中前來，只爲了五分鐘的說明。

我除了尊敬之外，再也說不出別的感受。或許這些年來，我們看到捷安特從台灣出發，變成國際知名品牌，產品賣遍全世界，其眞正的奧祕，就在這對「閒話一句的承諾」的堅持，因爲信守承諾，所以有誠信；因爲有誠信，所以產品追逐最高境界；也因爲有誠信，從供應商、經濟商、到消費者，沒有人不認同巨大

機械，沒有人不認同捷安特。而這些都源自於老闆劉金標的爲人，信念、堅持、上行下效、風行草偃，而形成捷安特的組織文化。

我有幾次和國外廠商往來的經驗，任何一個小合約，甚至簽約前的保密協定，都是厚厚一疊，有次我忍不住問外國夥伴爲何要如此麻煩，他們笑稱，這都是歷經各種教訓後，不斷增加的結果。顯然不只台灣如此，全世界也是，只有見諸白紙黑字的法律文件，才是承諾，才要遵守。反而爲人最基本的誠信，都被大家遺忘了。這也難怪與劉金標先生的會面，會讓我驚異莫名。

後記：

有一個讀者質疑：合約上的條件一定要執行，但合約內沒註明的事，就算曾經討論過，也要履行嗎？我的說法是，如果你是老闆做得了主，那一定要守信用，如果你不是老闆，做不了主，當然只能盡量遵守了。

現在企業都是專業經理人當家，合約代表公司的承諾，個人私下的言論，有時公司無法周全，這說明了合約為何會越來越複雜。

6. 無力負擔的奢華

假設當世界末日來臨時，誰會先死掉？

生活水準高的會先死掉，而能用最簡單的生活條件存活的，會熬到最後才死，蟑螂能存活億萬年，就是因為能面對惡劣的環境。

喜歡擺譜的人是悲哀的，奢華成習的人是危險的，超乎常人的生活水準，只會讓他們處境更艱難。因此從很年輕的時候，我就不願意華衣美食，不是沒品味，是不願意養成負擔不起的奢華習慣！

民國七〇年代，來來飯店開幕不久，那是台北最著名的豪華飯店，而它的十七樓會員俱樂部更是富商巨賈雲集的場所。擁有一張來來十七樓的會員證，就是尊貴的象徵。

當時，我換了一個工作，新老闆爲了表示肯定，替我買了一張來來飯店的會員證，並告訴我，所有的消費由公司埋單。我非常感謝老闆的賞識，但我從來沒使用過。半年過後，老闆發覺我沒有任何消費，十分訝異，他告訴我，儘管去

用，工作辛苦，放鬆一下也是應該的，更何況，替公司做公關也是必要的。我再一次謝謝老闆的厚愛，但那一張貴賓卡，一直到我離開那家公司，仍然是一張沒用過的呆卡！

我沒告訴老闆我不去使用的原因，但我內心清楚，那是我薪水不能負擔的「奢華」，那也是我能力不能負擔的「奢華」，讓公司負擔我個人的消費，我覺得罪惡；我更害怕的是，一旦我養成這樣的「奢華」習慣，當我失去時，我會更痛苦，因爲我無力負擔，我就不敢嘗試，不敢擁有，也不敢奢華成習。

操縱人類的欲望，一向是所有精品公司的拿手絕活，LV靠的是人類的奢華欲望，快速成長，但也讓人類走向欲壑難塡的深淵；另一家公司Coach喊出能負擔的奢華（affordable luxury），也大獲成長，顯然「奢華」是豪門巨富的事，能負擔的奢華才是大衆你我的眞實。瞭解自己的能力，控制自己的行爲，才有機會眞正做自己的主人。

奢華、享樂，都是人類的共同欲望，沒有人不喜歡奢華享樂。只不過有的人是用自己的能力享受奢華、有的人是用財務槓桿享受奢華，就如同許多年輕人用

現金卡、信用卡，預借未來的收入；當然還有人用職務享受奢華，許多的公務員、高階經理人，用政府及公司提供的資源，以公務爲名，行自我享樂之實；當然還有人因親情享受奢華，許多的年輕人，用的是父母的錢，花起錢來，宛如豪門富家子弟，奢華在他們眼中彷彿理所當然，完全不需要自我約束！

但奢華是會上癮的毒藥，一旦擁有，就怕失去，一旦失去，就痛苦難堪。這是我年輕時爲何不肯使用來來會員俱樂部的原因。我怕我從此離不開那個職位，離不開那家公司，因爲我已經習慣優渥、習慣奢華。但那都是公司給予的安定劑，我從此不敢冒險犯難，從此喪失鬥志，沉迷在接受別人餵養的舒適圈中！

當然，我也不敢給自己的兒女超過太多他們自己能力的奢華，因爲我知道，他們的欲望，需要用自己的能力去完成。太早擁有太多享樂，只會讓他們的生存能力變差，只會讓他們變成奢華欲望的奴隸，父母的親情，可能化爲他們面臨艱困環境時的毒藥。

我還看到許多年輕人，因爲太早擁有自己無法負擔的奢華，不論是一時走運，或者因緣際會一步登天，還是眞有能力、眞有實力，只要環境改變，他們就

從此沉淪欲望深淵。因此我更知道，就算是有能力負擔的奢華，也要謹慎使用，因爲那是欲望魔鬼設下的陷阱，隨時準備綁架你的靈魂。

後記：

一個老朋友見到我，當面向我提起這篇文章，他說「負擔不起的奢華」真的會害死人，聽了這話我很意外，因為他是有錢人，鮮車怒馬，奢華對他不是問題。

後來我更體會到奢華是相對值，而非絕對值，你開三百萬的賓士，別人開六百萬的賓士，你的奢華是廉價入門款，只要心中有奢華，就進入一個永無止境的追逐。

貪官污吏為何會產生，因為他們追逐負擔不起的奢華，我們要抬頭挺胸花自己的錢，不要偷雞摸狗花別人的錢。

7. 鄉下人的矜持

這是一個巧取豪奪的社會，我幾乎都要對自己所堅持的一些原則喪失信心了，所幸力霸集團王又曾事件，又讓我恢復一點信心，在台灣商場上，王博士的奸猾詭詐，無人不知，但他又橫行商場數十年，王家的倒閉，說明社會還有公理。從小媽媽就教我們守本分，不能隨俗、不能同流合汙，不管別人做什麼，我們只能做該做的，不能拿不該拿的，這是鄉下人的矜持。

四十年前的天母，是一個極純樸的鄉下小村，和現在台北時尚最前線的天母，完全不一樣。從小在天母長大，那裡埋藏了我無數的童年記憶。

那時的天母，到處長滿了各種果樹，最多的就是龍眼，不論在路邊、屋角，或者在山上的果園，龍眼樹一到夏天，就掛滿了一串串的龍眼，令人垂涎欲滴。這些生長在路邊的龍眼，好像是無主之物，其實每一棵都有主人，但因爲就在唾手可得的路邊，幾乎外來的過往路人，都會隨手摘取。可是對我們住在當地的鄉

下人，卻是絕對不允許的。因爲這其中埋藏了我一輩子最深刻的記憶。

有一次，一群路過的外地人，又採路邊的龍眼來吃，我實在忍不住，也跟著一起採。被鄰居看見，告訴我媽媽。回家後，被媽媽用細竹枝狠狠一頓毒打。媽媽告訴我，這是偷別人的東西。我不服氣地說：「大家都在採，爲何我不可以？」沒想到媽媽打得更凶，她說：「別人做壞事，是別人的事，我們家的人絕對不可以做！」

從此我知道了，所有的東西都有所屬，不是你的，絕對不可以碰！就算東西是沒有人的，也一樣不可以拿，因爲那不是「你的」。媽媽還說：「這就是守自己的本分。」每一個人一輩子都要守本分，而且就算別人不守本分，我們仍要謹守本分，不可以一起做壞事。

這個童年記憶，變成我一輩子的習慣，雖然年紀越大，見聞越廣之後，發覺這個習慣，實在有點迂腐，或者應該說這是「土包子」鄉下人的矜持，因爲對大多數都市人來說，「巧取豪奪」才是常理，守自己的本分，似乎太不通情理了。

但從小養成的習慣改不了，本分變成我對應群己關係的基本態度，在我與別人之間，本分是避免紛爭、和諧相處的元素。

我只想我自己該得的，我不管別人得到多少，但這還不夠，本分的意思更是要謙虛、要客氣，對任何事情要謙虛、客氣的評估自己的能力與貢獻，因此在論功行賞的時候，就不至於過分誇大自己應得的那一份，這樣在團體中就不會引發分配不均的爭執。

「本分」讓我自己退一步想，讓我自己看到自己的不足，絕不做非分之想。如果我所屬的團隊，大家都客氣而本分，那組織的氣氛會變成人際關係的理想國，大家謙讓、一團和氣，這是我最喜歡的團隊感覺。

「本分」除了規範群己關係之外，還讓我變得務實，只問自己能做什麼，不要刻意去和別人比。小時候的經驗，讓我知道，就算別人可以胡作非爲，但我不行，因此，看別人做什麼，與他們比較沒有用，因爲每個人的命不一樣，和別人一較長短，只會讓自己傷心，不如回頭想自己的事。

身爲鄉下人，我不能說都市人奸猾，但我樂於謹守鄉下人的迂腐與矜持！

後記：

有一個讀者寫信給我，不是只有鄉下人才有矜持，他是都市人，他的家教也是如此，只拿自己分內該得的，其餘一分不取。我承認，鄉下人是我對自己的描述，絕非只有鄉下人才單純。十步之內必有芳草，我相信台灣社會上大多數人還是善良的。

8. 工作不會傷身

許多年輕人，對全力投入工作者表示懷疑，他們徘徊在工作與玩樂之間，選擇輕鬆工作，快樂玩耍，是許多年輕人的流行。

我並非主張辛苦工作，但我認為每個人要對自己有交代，既然工作，就要有成長、有成果、有好的回饋、有升遷、有加薪，因此在工作時全力以赴是免不掉的，就如同遊樂時的全力放鬆。而「工作不會傷身」是我聽過最經典的一句話，這是日本知名企業家丹羽宇一郎的名言，他從工作者出身，成為知名企業伊滕忠商社的會長，全力投入，成就了一生的成果。

有一次到一家知名企業去上一堂領導的課，下課後一位小女生來和我聊天，她告訴我，當主管要做那麼多事，要負擔那麼多責任，太辛苦了！還是當一個小職員好，一副後悔當上主管的口氣。

雖然我知道她說的並不完全是眞話，話中還有迷惘。同樣的問題，我不知已經回答過多少次，不知有多少小朋友已經和我談過類似的問題：工作太辛苦了、

工作太傷身了、工作太傷害家庭生活了，如果可能，許多小朋友願意選擇不調升職位、不當主管，只要當一個小職員就好！

我的回答很簡單，你可以選擇當小職員，但你可以忍受比較低的薪水嗎？有的小朋友回答很妙：我可以找一家好公司當小職員，有比較高的福利，但工作不多。我告訴他：沒有這樣的好公司，好公司績效佳、福利好，但對員工的要求也很多，不可能有工作不多，且長期福利好的公司。

因此，要不就忍受低的成就感、低的薪水回報；要不就在職場上當「過河卒子」，勇敢向前。

其實這樣的回答還不夠，因爲很多年輕人找出更冠冕堂皇的理由：如工作會傷身、會把眼睛弄壞，長期坐在椅子上會脊椎側彎等等。對這樣的說法，我總覺得似是而非，但始終也沒想出一個好理由，只能告訴他們，那你就偶然運動一下，不要老是工作。他們的回答就更讓我無言以對：我工作都做不完了，哪還有時間運動！

後來，我出版了日本伊藤忠商事株式會社會長丹羽宇一郎的新書——《工作才能成就人》，其中一句話，讓我對這個問題豁然開朗，丹羽會長說：「工作不會傷

身」，眞正會傷身的，是下班之後的娛樂：喝酒、打牌等等。丹羽會長描述他在美國的狀況：連星期六也要上班，平常每天早上五、六點鐘，就被歐洲的電話吵醒，晚上則要加班和日本總部聯繫，常年這樣長時間工作，身體也沒有因此變壞，因此他認爲：工作絕對不會傷身。

這一段話其實正是我的經驗，只是一直沒有清楚的說出來而已。我開始回憶，其實許多能幹、努力、全力以赴的同事，他們也都沒有向我抱怨過「工作會傷身」這件事，而他們的身體也大都維持得很好。雖然有些人身體不好，但也都是因爲本身體質使然，與工作勞累並無必然的關係。

反之，向我抱怨「工作會傷身」的同事，事後證明其實他們都是能力有問題、態度有問題，「工作傷身」只是他們的藉口而已！

我終於想清楚了，「工作會傷身」其實是工作態度的問題，你對工作有不正確的想法、看法，才會出現「工作會傷身」的說法。當然如果你全力以赴工作，也全力以赴狎遊、喝酒縱欲，過度使用自己的年輕、自己的身體，那是絕對會傷身的。可是如果只有工作，絕對不會傷身！

後記：

一個小朋友遇到我，告訴我當他在商業周刊讀到這篇文章時，幾乎是破口大罵：胡說八道！工作者沒日沒夜、熬夜加班，身體怎能不變壞呢？何先生你是老闆，替所有的老闆來給工作者說項？聽了這話，我微笑以對，回答：沒有成就、不被認同，恐怕比工作更傷身，更令人痛苦！

9. 尋找「自慢」絕活

擁有一種無可取代的專長，是每一個工作者必要的生存要件。這個專長不僅是要會，而且是要最佳、最好，別人都比不上你，在關鍵的時候，專長出手，所有人退避三舍。

擁有「自慢」絕活的人，是組織中不可或缺的核心工作者，也是「八十／二十」原理中的重要貢獻者，這些人帶動組織成長，被人倚賴、被人仰望、被人尊敬！

台灣的驕傲、紐約洋基隊的投手王建民，最拿手的球路叫「伸卡球」，是一種下沉快速球，到本壘板時快速下墜，經常造成打擊者擊出內野滾地球被封殺，王建民極少被打出外野長打，「伸卡球」是王建民立足大聯盟的殺手球路。

在公司中徵選新人的時候，我經常會問：「你有什麼特殊的本事或專長？」大多數應徵者都說不上來。就算回答了，也禁不起我再三的確認，因爲我要的答案是非常在行，而且眞正較諸一般人而言，更深入、更專業，爲常人所不及的專

業，那是個人拿手的絕活，只要絕活出手，四方臣服！

日文中形容自己最拿手、最有把握、最專長的事叫做「自慢」，餐廳中的招牌等，稱為「味自慢」，「自慢」這兩個字完全沒有驕傲自大的意思，只在形容自己的拿手與在行，是不是比別人更好，其實不知道，但絕對是自己最自信、最有把握的事。

擁有自己最有把握的自慢絕活，是每一個工作者都必須具備的條件。當我在徵選新人時，我要用什麼人？當然是那個擁有自慢絕活，而這種能力又是公司需要的人！當公司要升遷某一個主管時，要升誰？當然是那個擁有自慢絕活，而那個條件又是未來當主管時會用得著的能力！

我最沒把握的人，就是那種「五育並重」，所有事都會，但所有事都不精的人。通常這種人影像最模糊，你不會留下任何印象，在組織中可有可無，就好像每一個人都如此，但少一個、多一個也無妨。

不幸的是，大多數的工作者都是這種影像模糊，缺乏自慢絕活的人。這種人是那只創造百分之二十貢獻的百分之八十的人。如何創造、培養自己的自慢絕

活，是一個人成功的關鍵！

自慢絕活可以是一種態度：我對公司最忠誠；我工作態度最嚴謹、最穩當、最可靠、最積極；我可塑性最高、學習力最強；在組織中，我的人緣最好、合作性最佳。任何一種態度都是明顯的優點，都可以變成在組織中勝出的關鍵，前提是特色要夠明確，爲人人所稱道。

自慢絕活也可以是一種技術：財務的專長、行銷的專長、企業的專長……；也可以是一種能力：電腦、語言、溝通、公關、廣告……；甚至自慢絕活也可以是一種嗜好：高爾夫、網球、釣魚、登山、圍棋、美食、旅行……。技術與能力是工作上明確有用的專長；而嗜好則證明一個人多才多藝而有趣，是個性格鮮明、舉止出衆、特立獨行的人。

有心而長期穩定的培育、學習、追逐，則是培養自慢絕活不可或缺的方法。年輕時的同學、同輩或朋友，幾年不見之後，忽然發覺他們都變成某一種領域的專家，這就證明了自慢絕活並非天生擁有，而是每一個人按照自己興趣、專長，不斷的長期努力學習追逐而來！

每一個人都應該自我檢討一下：我有超乎常人，讓自己自信、自豪，永遠可依賴的自慢絕活嗎？

後記：

許多人在組織中，惶惶不可終日，因為他們能力不明、影像模糊，對組織的貢獻也不足，存在需要靠人緣、靠內部公關，這種人永遠是組織中最辛苦的人。每一次變動，隨時可以被取代。

我其實胸無大志，只求不要看別人臉色，有自己的尊嚴，因此只好不斷培養一種無可取代的專長，但最後發覺這原來是每一個人真正的價值！

10. 口水多過茶

每個人都有夢想，也都有理想，但大多數人有想法沒方法，不知道怎麼執行、怎麼下手，因此讓計畫停在空想，一事無成。

NIKE的廣告名言：「Just do it!」深入人心，對休閒、對運動，或許我們都能「Just do it!」，但是在工作上，我們敢這樣嗎？我們猶豫，美其名曰：「害怕」；我們討論，美其名曰：「充分溝通」。但就是缺乏行動，沒有行動，一切佇在原地。我們寧可在行動中犯錯修正，而不要成為口水專家。

工作中經常遇到一種狀況：當某主管提出某項新構想時，經常就會有許多人從各種角度反覆斟酌，有的人說這可能會有某種副作用；有的人說，這個構想不周延，還需要仔細研究。經過大家的七嘴八舌之後，大多數創新的想法都胎死腹中。

我冷眼看著這些討論，當然有些想法是浪漫、不切實際而不可行的，被腰斬

不足爲奇。但是也有些想法則不然，確實具有突破性的創見，只不過因爲是創見，太新穎了，與現況難免有些不相容。理論上，只要克服這些不相容的部分，這個創見是有可能實施的。只不過如果放縱公開的討論，通常這些創意會被犧牲，因爲大多數主管會play safe，採取保守而安全的策略。大家寧可停在原地，什麼也不做，而不願採取積極性的作爲。

這就是大多數組織與工作者的實況。廣東有句俗話：「口水多過茶」，指的是說得多、做得少，完全沒有實踐性、沒有行動力。不幸的是，大多數組織中的人，都是口水多過茶的人。

仔細分析工作者「口水多過茶」的原因，主要來自幾項：一、怕麻煩，不願改變；二、見樹不見林，只見其副作用，而未來宏觀衡量應是其整體的好處；三、完美主義，每一個行動都覺得要設想周延，謀定而後動，當有些小事、小問題沒想清楚時，就只好停在原地。

前兩項原因，基本上是工作者的基本態度不對、基本判斷不對，他們除了自我要求、改進外，完全沒有探討的空間，但第三項完美主義則不然，這是工作無

績效、步調緩慢、難有成果的超級殺手，也是組織中「口水多過茶」的眞正原因，需仔細探討。

嚴格來說，任何計畫，在事先規畫設想階段，都有預演未來的成分，很難期待其設想周延，並在過程中要求一切按照計畫進行。大多數的狀況只能盡可能仔細規畫，然後在執行的過程中，逐步校準、調整，在工作中修正，在錯誤中學習成長。

如果要求計畫完美、無懈可擊，幾乎是不可能的。計畫的完美主義，根本就是不做事的代名詞，也是膽小、怕事的代名詞，更是工作停滯不前，沒有進步的元凶。

「完美主義」可以用在事後檢查工作品質，用在事前衡量行不行動、做不做事，是絕對不可以。行動、計畫、工作改善，只能問有多少成把握，是六成，是七成，還是九成，絕對沒有百分之百的，通常所有的作爲會有正效益，也會有副作用，只要正負相抵的效益增加，就應該立即去做，而不要因爲有些小顧慮，而停在原地，通常停在原地是最大的罪惡。

行動力是在不斷的行動中學習成長，執行力是在不斷的工作中，修正錯誤、校準方向，工作的成果也是在行動與執行中完成。過多的思考、過多的討論、務求其百分之百完美，只是讓你變成一個「口水多過茶」的夢想家、思想家！

後記：

一個讀者質疑不思慮周延的行動，是行為孟浪、盲動，還是應該想清楚再行動。我完全認同，但我想強調的是，如果你永遠想不清楚，永遠下不了決心，永遠停在原地，永遠坐而言……，那我會說：思慮周延只是你夢想、空想的託詞而已！

11.認識自己背後的「黑暗巨人」

沒有一個人是完人，每一個人都有很多缺點，而進步是需要先瞭解自己有什麼缺點，才能學習改進的。

問題是，如果我們不能謙卑的面對自己，誠懇的反省，從別人的反應找出自己的弱點，我們是無從進步的。

我很少有機會運用科學化的管理工具，因爲我永遠認爲我最瞭解這個產業、最瞭解我自己的公司、最瞭解我所主管的業務，因此科學化的工具能提供我更進一步的情報嗎？不能！因此科學化的管理及評測工具，聽聽就可以了，不必花大錢，又浪費時間去走遠路！

可是幾年前的一個案例改變了我的想法：有一個同事，擔任那個職位已很多年！他的部屬公認他是個問題人物，甚至偶爾會在公衆場合挑戰他的權威（因爲忍無可忍）；平行的同事認爲他是個麻煩人物，因爲常常在狀況外，做一些很奇怪的事，在辦公室裡帶來不必要的困擾，他的主管也知道他有問題，但時間保護

了他，因爲是資深員工，不忍心下手處理。

我終於決定找他懇談，可是結果讓我大吃一驚！我原本認爲他對自己的處境總該有所瞭解，誰知道，他竟然認爲自己的表現雖不傑出（帶著謙虛），至少還算OK（理所當然）。我知道這下子問題大了，他幾乎完全不瞭解自己，不瞭解別人對他的觀感，所有他感受到的不友善，完全是有心人士故意與他爲敵。我非常後悔過去對他的仁慈，一直未及早規範、說明，我應對他的問題負完全責任。

這時候，我也想起了HR領域中的三百六十度評測法，這個方法讓受測者能從上司、平行單位、部屬甚至其他相關人士的角度，看到別人對他的感受、看法與建議，讓他能知道他所不知道的自己，包括優點、缺點與改進建議。

我不能不承認，科學化的管理工具是有用的，如果我有機會讓這位同事做一次三百六十度評測，相信我在處理的過程，可以少走很多冤枉路！

每一個人都有永遠無法認識的自己；我們永遠按照組織的主流價值——能力強、有效率、肚量大、眼光遠、能溝通，期待自己是這樣的人，而永遠看不到事實的眞相。事實上，每個人都離這些主流價值很遠，我們永遠是缺點比優點多，

我們永遠有一輩子也改不了的缺陷，這些缺陷，當別人親口對你講出來時，你會拒絕承認、你會憤怒、你會反駁、你會構陷別人的動機，當然如果你還有自省能力，你會傷痛欲絕，這怎麼可能是我呢？最後也許你有機會誠實面對，嘗試去改變自己。但能不能眞正改變，就要看自己的決心和毅力了。

問題是，人有沒有機會認識隱藏在暗處的自己，早一點瞭解、早一點改善，以免變成職場的笑話？答案當然是肯定的，只是你拒絕承認而已！

同事對你的異常反應、老闆對你的不耐煩、部屬對你的挑戰……，其實都說明了別人對你的不滿，也暗示了你的問題的存在！只不過你的反應是什麼？老闆就是喜歡別人，他對我有偏見；這個部屬天生反骨，老是找我麻煩，看哪一天我好好整治你。

我們的態度，決定了我們永遠認識不了自己的缺點，我們背後的陰影越來越大，就像腳下有一盞投射燈，光明的自己、正面的自己很小，而背後的陰影卻是「黑暗巨人」。

後記：

為什麼會寫這一篇文章，因為這樣的經驗太多了，我很認真的和部屬討論，他的問題、他的缺點，而且是關起門來，歸過於私室，希望他改進，但卻引來他強力的反彈，自我辯護，覺得我誤解他……。

我不能不承認，大多數人無法面對自己的缺點，不敢承認自己的不足，這也是大多數人停滯不前、無法進步的原因。

每一個人都應告訴自己「聞過則喜」，有人願意給我建議，提醒我的缺點，不管對不對，都立即謝謝他！

12. 工作成就定律：唯態度論

工作成果（Performance）、能力（Ability）、態度（Attitude），這三個英文字頭組成工作成就定律：$P=A^2$，這是強調激勵，重視心靈層面的管理學者的説法，每一個人的態度決定了一生的命運，也決定了一生的工作成果，成王敗寇，因為你，因為你的思想，因為你的性格，因為你怎麼看世界、怎麼看人生。

成功的關鍵因素是什麼？能力、資源、時運，還是其他？這個有趣的問題困擾了所有的工作者，有人努力學習，因爲相信能力，有人燒香拜佛，因爲相信命運。但大多數人不知道答案就在自己身上，你的觀念、看法、態度，才是眞正決定人生成敗的關鍵。這就是工作成就定律：$P=A^2$。

工作成就定律指的是每一個人的工作成就的大小，等於能力乘上工作態度，能力越高，工作態度就越好，其成就越大，也是遠離失業的不二法門。但大多數

人都只重視工作能力，念書、學習，取得高學歷，都在增強工作能力。而重視工作態度的卻少之又少。大多數的工作者缺少正確的工作倫理，對公司、同事、工作本身，是否具有正確的工作態度，成爲全社會工作職場上的最大盲點。

工作態度的重要，可以從工作成就定律中看出。每個人的工作能力絕對不會是零，因此工作成就也會有高低。可是工作態度卻有可能是零，而一旦工作態度不正確，工作態度是零，其工作成就就是零，能力再高是無用的。甚至因能力強，態度不正確，反而往壞的方向發展，做出對組織、工作、公司有害的事，大多數職場弊案，都是這種人做出來的。

因此，工作成就定律，其實說明了工作就業的「唯態度論」，態度決定一切，相對而言，學歷、能力反而並不重要。

許多成功的案例都說明了「唯態度論」，一個從基層做起的人，最後可以升到總經理，就是「工作唯態度論」的註解，因爲基層工作者一定是能力不足的，但因態度正確，努力學習，全力以赴，認同組織，無怨無悔，能力當然不斷增強，主管當然賞識他，所有的好運機會都會降臨他的身上，最後他當然會成爲公司的

最高主管，成為職場的成功者。

「唯態度論」其實不只在工作上，成功更是「唯態度論」，許多創業者將失敗歸咎於資金、經驗、時機，其實是錯的。因為只要態度正確，沒有資金的人，會得到他人的信任、幫忙，今天缺資金，但明天會解決；能力不足的人，沒關係，只要態度正確，努力不懈，今天不會，明天就學會，能力會快速累積；而今天時機不對，運氣不好，只要態度正確，不怨天尤人，繼續樂觀工作，時機、運氣總會來的。

這個社會聰明人太多了，缺少的是執著的傻子，對理念執著，對道德執著，對工作執著，對過程執著，對成果執著，成就的唯態度論，絕對可以讓你遠離失業，接近成功。

後記：

有小朋友問我，態度到底是什麼？這確實要仔細交代。

態度，源於信仰，每個人都有人生觀，都有自己相信的觀念，正確的觀念，投射到工作上，產生具體的正確態度。例如：相信世

界是公平的，沒有不勞而獲，這是信仰，也是觀念。投射到工作上，就會變成全力以赴，一步一腳印，不會貪便宜、走捷徑。觀念與態度是連動的，對外界的每一件事，每個人都會產生不同的對應態度，進而產生不同的作為。

態度的正確，包括許多層面，例如：樂觀、正面思考、負責、追根究柢……，幾乎所有聽起來很「八股」的人生守則，都很可能是正確的態度，這其實回到做人的基本原則。

Chapter 2

自慢的成長學習

無所不在的學習，
描述了我一生的學習態度與方法。
也是我一輩子如果有一些成就，
真正的關鍵原因。

從小我就知道，我天分不錯，但也並不特別好；我更知道，我家境不好，家庭所能提供的是最基礎的學習環境，出國免談，深造不可能，因此我唯一能依賴的是在工作、生活中，自己能做的自我探索與學習。

大學畢業，是我正式學習歷程的結束，我知道，從此一切的學習、一切的成長，都要靠自己，因為這樣，我摸索出許多讓我「自慢」的經驗。

無所不在的學習，描述了我一生的學習態度與方法。也是我一輩子如果有一些成就，真正的關鍵原因。

〈一點聰明一點癡〉，告誡自己不能太倚賴小聰明，雖然我不否認自己反應靈敏、見解獨到。〈對不在方法，對在人〉與〈承認自己是壞人〉等篇，談的都是人的變數，也就是自己。很長的時間，我檢討的是外在變數，環境、資源、時機、命運……，但很少想到自己的對錯，那是自省的空白，後來我知道真正可能有錯的是自己，而自己更可能是醜陋的惡人！

還有許多篇是學習得到的實務體驗，如〈策略與執行力〉，以及如何精準計算等，都是我用自己的話，說出學理，當做是管理學者的旁證吧！

13. 學習，Any time，any where

人的成功，不在於能力很強，而在於能力是否能不斷提升改變，學習是每一個人改變的動力。大多數人的學習是制式的、是正式的、是有形的。但有一種學習，可以讓人永遠成長、毫無止境，那是Any time，any where的學習……

剛投入就業不久，仍然是最愛玩的時候，一次到烏來露營郊遊，一起參加的人裡面，有一位是溪釣高手，他攜帶了全部的釣魚工具，準備讓我們好好享用鮮魚大餐。

我完全沒學過釣魚，但聽到有高手在此，很高興與他一起嘗試釣魚。那一天晚上，我們兩個就一起徹夜垂釣。我因爲不會、不懂，所以其實是他釣魚，我當助手，有空時我也試試看。

這一晚上是我的溪釣學習全體驗。我從完全不懂，不斷的問一些最基本的問題，到後來越問越深；也從完全不會釣，到試試看，後來我也能釣到一些魚。剛

開始，這位釣魚高手覺得我很煩，老問一些笨問題，但因為我也幫了些忙，因而也就勉強回答，到最後我們變成好朋友。

從這一晚之後，我仍然不是釣魚高手，也沒興趣，但我對釣魚完全不陌生。事實上，後來在工作上因為我對溪釣的理解，也得到許多好處：一位客戶是釣魚愛好者，發覺我也對釣魚侃侃而談，因而拉近距離，多了好些生意。後來更差一點下去辦了一本釣魚雜誌，那一晚上的機緣，讓我受益無窮。

那位釣魚高手，後來對我的評價是：怪人，對陌生的事擁有超強的好奇心。這點我完全承認，我是一個「好奇寶寶」，任何事我都有興趣，任何事我都會研究一下，不管什麼事，縱使和我的工作、生活完全不相關，但只要在我周遭，被我遇到，我都會仔細研究。尤其是我對高手特別有興趣，因為我認為從高手身上會找到最完整的答案。

我不曉得我的好奇心哪裡來的，但我確定好奇心讓我成為一個快速學習、快速成長，而且可以不需要有正規的老師，也不需要在正式的教室中，我就可以在工作與生活中自我學習、自我成長。那是無所不在的學習，也是無時無刻的學習：學習，Any time，any where！

管理顧問彼得．聖吉（Peter Senge）強調學習型組織，組織要能自我調整，學習成長。我對照自己的經驗，我強調的是學習型人生，每一個人可以透過開放的胸襟，不斷的自我改造、自我學習，而其中的關鍵又在於Any time，any where——無所不在的學習。凡走過必有學習、凡接觸必有長進、凡看過必多懂一些、凡遇到必追根究柢、凡高手必不放過，窮追猛打，追問到底。

這其中最需要克服的不正確觀念就是：這跟我無關，幹嘛學？這麼專業，我一定弄不懂！下一次有空再學吧！這都是凡人的想法。正確的態度是：雖然現在無關，但以後可能有用，而現在反正沒事，不妨隨手瞭解。而且不論多難、多專業，我現在能學多少算多少，絕不等到明天，不放棄現在的學習；也不能期待重回課堂的正常學習，那機會很小！

孔子說：「吾少也賤，故多能鄙事。」這是多才多藝的原因。在工作與生活的周遭，不論日子是好、是壞、是悲、是喜、是順、是逆，對學習而言，日日是好日，分分秒秒可學習，也無時無刻不可學習！

後記：

我無時無刻不在問，誰是真正的高手。因為這個社會充斥著半吊子達人，許多人敢說就成專家，向這種人學習無異問道於盲。但真正的學習，要找到真正的名師，因此做任何事，我總要花很多時間，尋訪名師，就怕問道於盲，找到真正的高手，學習就會步入坦途。

14. 貴人出現，小人走開

春節，一年的開始，許願的季節。

在一次春酒宴後，主人熱忱的安排放天燈的餘興節目，每一個人在天燈上寫下自己的願望，從身體健康、事業順利，到兩岸和平、台灣國萬歲，願望無奇不有，說明了台灣社會真是多元，其中一個年輕人的願望吸引了我：「貴人出現，小人走開」，這是職場中常見的說法，也是算命先生常用的話語，但卻引起我極深刻的省思！

每一個人都在期待生命中的貴人，甚至把貴人的幫助，解釋爲許多人成功的原因。更多人常常遇到小人，把所有的不順利都說是小人阻撓、攪局、作梗，「防小人」絕對是算命先生萬無一失的警語，小人幾乎是現代職場中普遍存在的全民公敵！

我對「貴人說」沒有意見，因爲回顧這一生，確實承許多貴人之助，才能逢凶化吉。但對「小人說」則完全不能理解，也不能認同。

我承認這一生曾經遇到過一些麻煩的人，給我帶來許多的困擾，但這些人充其量也只不過是一些想法、觀念、工作方法與我不同的人，我可以說「道不同不相爲謀」，但說他們是小人，確實又太過了！我遇到更多的是厲害的對手，聰明、高明、訓練有素，常讓我措手不及，但這些人充其量也不過是「敵人」，但不是小人。

敵人因立場不同，各爲其主、各爭其利、各謀其勝，是對手，可以「揖讓而升，下而飲」。小人則是人品不佳、道德低下、手段卑劣、素行不良，想想看，在我們的周遭眞的充斥著這麼多「小人」嗎？我想不至於。理論上「小人」應該是「壞人」的同義字，而「壞人」與「好人」又是相反詞。從統計學上的常態分配來看：在整個社會中，好人與壞人都是極端値，都一樣稀有，如果你覺得社會上好人不多，貴人少遇，那壞人、小人也都一定不常見。

但小人說又何以如此普遍呢？其實這些小人大都只是我們的對手（或者敵人），當我們遇到難纏的對手，或是打不過的對手，最簡單的療傷止痛良方，就是將其「妖魔化」爲小人，因爲他是小人，道德低下、手段卑劣，我爲「奸人所

害」，輸了沒有什麼可恥的，自己沒有什麼可以檢討的，一切的失敗或挫折，都是命運之神捉弄……。

我不能說辦公室中完全沒有小人，就算有，數量一定很少；但職場中卻充滿了對手，每個人都想求表現，但因績效評比，讓所有的同事都變成對手，而如果我們不能平心靜氣的看待職場競爭，而將對手妖魔化，那麼所有的人都變成「小人」了。

把對手妖魔化為小人，還有一個嚴重的後遺症：無法向敵人學習，敵人能打敗你，必有所長，師敵長技以制敵，這是下次見面反敗為勝的關鍵。但對手如果是「小人」，是邪門歪道，我就沒什麼好學的……。

我很清楚，台灣社會雖然道德低下，但仍然小人不多，只不過是因為我自己戴了「妖魔化」的眼鏡，以至於把所有的對手，都變成小人。當我們不能面對對手，學習敵人，而只是背對敵人，吃著妖魔化對手的春藥，自我洩欲，你將永遠是失敗者，而且是個氣量短淺的失敗者！

後記：

老友打電話給我，調侃我真是大氣，心中無小人，氣度不凡。我愧不敢當，我並不是真的沒遇過小人，其實還不少，但每次一想到這些人，如果是小人，而我又曾與他們為伍，且曾經與他們為友，那我自己不也可能是小人嗎？否則怎麼會在一起？那就豁免他們小人的罪吧！同時也免除自己是小人的可能！

15.一點聰明一點癡

如果一個人才氣不足，庸庸碌碌過一生，也就罷了。問題是很多人才氣縱橫，最後又沒什麼成就，那就冤枉了。通常這些人都是「聰明反被聰明誤」，太聰明的結果是沒耐性，不能按部就班一步步向前走，他們雖然有一些小成果，但不會有大功業。

這篇〈一點聰明一點癡〉是讓所有的聰明人，可以從另一個角度再想一想。

我見過一個非常聰明的年輕人，學歷又好，擁有國外的碩士學位，他一度是我最看好的未來接班人選之一，但這件事始終無法如願。

他做任何事，都能快速上手，表現傑出。但問題是剛熟悉一件事，他就開始想下一個職位，他的期待與要求，總是比主管快。當然基於人才培養，許多次我也按照他的意願，提拔升遷。甚至我還一度自責，是不是我的反應慢了，以至於讓一個有爲的年輕人，浪費了太多的時間，埋沒了他的才氣。於是我密切注意他

的動向，以免再度犯錯，又被他先開口要求，落入後手，處境艱難。

結論是，他還是比我急、比我快，我的小心仍然趕不上他的急切欲望。最後我不得不承認，他實在太聰明了，聰明到在組織中，很難有一個職位適用於他，我不得不放棄這位讓我愛不釋手的年輕人。

他走上創業之路，以他的聰明，很快擁有一個小格局的成果，每年有金額不大的獲利，足以讓他逍遙自在。可是從此他面臨瓶頸，如果要做更大的事，光靠聰明是不夠的，還要決心、毅力、格局、氣度、勇氣，而其中有許多特質都是他所不足的。

我只能替他可惜，好一塊材料，只因爲太聰明了，聰明得仔細計算所有的事情，都要用最快、最容易的方法做事，期望速成、期待短利，欠缺了「癡勁」與「傻勁」，而使他陷在「舒適」的泥淖中，擁有小成就，難成大格局。

這讓我想起台灣財經前輩汪彝定先生的一句話：他常念著「慧女不如癡男」，如果剔除性別眼光，這句話正是這個案例最好的註解，任何人「慧」不如「癡」，慧易成事，但難成大局；癡似呆拙，但孜孜矻矻，一點一滴，最後終能成就不凡的格局。

如果你是「癡」人，笨人沒路走，只能努力，無需多言。問題是社會上「癡」人少有，大多是聰明人（或者其實是自以為聰明），聰明人就是精於算計，心思複雜，以至於小算盤每天打、時時打，稍有困難就不做，稍遇挫折就放棄，立即無利就回頭；長遠大計無心想，結果是小成可也，大事難成。

最好的思考是，不論你是聰明人還是癡人，常常替自己留一點「癡心」，刻意去做一些看起來笨的事，凡事想長一些、想遠一些。利益不要計算那麼精準，刻意找一些辛苦、困難的事來做；刻意找一些需要冒險進取的事來做。然後發揮你的決心，考驗你的能力，激發你的堅持、磨練你的執著、成就你的耐性。讓成果滴滿你的汗水、淚水，這是另一種試煉。

太多的聰明，是上天的恩寵，當然要感謝，但也是上天的陷阱，讓你少了執著、堅忍的力量。最好的搭配是「一點聰明一點癡」，有足夠的聰明分析難易、好壞，但有時也要能有耐性，做一些短期看起來並不聰明，但長遠有利、有益的事，每個人最終的格局，決定的關鍵是「癡」，而不是聰明。

後記：

明明是聰明人，如何擁有癡心？

其實這是「小聰明（Street wise）」與大智慧的差別。聰明人選容易做的事，大智慧選難的事，難的事少人做，競爭者少。有時候還需要有精誠所至，金石為開的耐性，沒有耐性，等不到春暖花開，能等、能忍，通常是癡人與癡心。

16. 對不在方法，對在人

每一個人都要探討別人的成功經驗，學習別人的成功方法，認為用對了方法，就有機會成功。邏輯上沒錯，「他山之石，可以攻錯」，但學習對的方法，並非保證成功，這其間還有別的變數。

人就是其中的關鍵，任何工具，換了人，效果就不同；任何方法，換了人，結果也不一樣。在學習方法的同時，請思考一下自己，思考一下人的不同，自己是不是對的人，要真心面對！

一個年輕人，努力工作，忙碌了半輩子，他一直在創業做出版，但一直沒能眞正賺到錢，有一天他急著跟我見面，想告訴我一個突破性的計畫。我雖然忙，但仍然很樂意給年輕人一點意見、鼓勵。他說，他決定學習某位成功同業的做法，一年只出二十本書，但要求本本暢銷，用精準的選書，替代大量出書，來提高營業額、提高獲利率。

他又說，他仔細觀察了這位同業的做法是大量閱讀國際書訊及出版消息，並

參加國際書展與國際出版業建立良好關係，這樣就能拿到大書、暢銷書。聽完他的想法，我百感交集。

我想起另一個經驗，我投資的一家小公司，虧損連連，我與主事者懇談，想找到原因，好協助他。從頭到尾他一直訴苦：時機不對、競爭者太強、資金不足、員工太笨；並且告訴我，他已盡全力改變，但不可得。

這兩個故事，對我而言，有相同的啓發，第一個故事是「對不在方法，對在人」，因此學別人的方法是沒用的，因爲人不一樣。第二個故事則是「錯不在方法，錯在人」，因此檢討方法是無效的，因爲人根本是錯的。人的不同，決定事情成敗。而我們看問題，檢討問題時，往往忽略了人，而著重在方法上。

或許應該說，並不是我們過度強調方法，而忽視人的問題，其實人只有在檢討和自己有關的事情上，才會不自覺的忽視人的問題，因爲只要是人有問題，很可能就是自己有問題，而你能面對自己可能是個笨蛋嗎？不太容易！

以第一個故事爲例，那一位出版同業的成功，是因爲主事者知識淵博、判斷精準、眼光獨到。因爲有英明的選書人，才能做對書、選對書、賺到錢。我告訴

這位年輕人，要學習別人成功的經驗，先解讀「人」、學習「人」，把自己變成跟他一樣的人，再學習方法才有用。

第二個故事，懇談完之後，我的結論異常簡單，我根本看錯人、投資錯人。生意沒錯，時機沒錯，方法也沒錯，因爲人錯了，所以把一切都弄錯了。不幸的是，他根本不認爲自己有錯。

人最不瞭解的就是自己，老放大自己的優點，忽視自己的缺點；甚至覺得自己沒錯，一切都是別人的錯、都是外部環境的錯，一切都是運氣的錯、都是時機的錯。

面對自己有關的事，正確的檢討或思考模式，應該是「一切都是我的錯」，先假設自己有錯，強行找出自己的錯，經過這樣嚴苛的自我檢視之後，如果自己有錯，你應該會很快找到，也可以進行改進。當然也可能自己沒錯，而經過不斷反芻自省之後，你更有信心去檢討外部的人或事。

如果要學習別人的成功經驗，關鍵不在學習方法，而在學習「人」，學習成功者的態度、思維、特質、風度、氣量，這些才是成功的核心，也是方法背後的潛

在要素。不要陷入一般人只會學習方法，本末倒置的狀況中，以至於複製、學習都不易成功，但卻永遠在追求方法的更新，卻忘記一切要從自我檢視、探索開始。

在人的社會中，人才是核心；在自己的生涯中，自己才是關鍵，自己的對錯，決定了一切，不要被表象所迷惑，不要怕面對自己的醜陋，才有機會找到正確的答案。

後記：

我並不是否認方法的重要性，但任何事我難免要回歸人的原點，太多的經驗告訴我，同樣一句話，有人說來令人動容，有人說來就虛假難耐，解讀自己、瞭解自己的強弱短長，其實會讓自己少走很多冤枉路。

經營大師傑克．威爾許在接受《商業周刊》訪問時說：「人對了，就對了。」顯然東西方的看法相近。

17. 策略與執行力

策略是高尚而偉大的事，每一個人都喜歡談，但我懷疑是否大家都懂；執行力也一度是熱門話題，但什麼是執行力呢？

做對的事與把事情做對，是我對策略與執行力的解讀。沒學問，但易懂、好用，極具參考價值。

二十年前，或許更早，策略一詞風行企業界，經營企業要談策略；不談策略，簡直沒知識、沒學問、沒前途；西元二〇〇三年，執行力成爲企業經營新的流行語彙，不談執行力，一樣沒知識、沒學問、沒前途；甚至還多一條罪名：落伍，趕不上時代！

說老實話，我從來沒弄懂策略過，我對高來高往、不著邊際、天馬行空的事沒興趣，對執行倒是頗有心得。年輕時，對老闆交付的事，從不知如何說不，總是傻呼呼的徹底做到；年紀大了，當了年輕人的老闆，做任何事總要找到切實可執行的方法，才敢下手；下手之後，就全力以赴，不達目的，絕不終止。

對策略與執行力，這兩個經營學上的流行語彙，我個人倒是有我自己的簡單解讀。策略是什麼？就是在正確的時間選對的事做，做對的事（Do right things）；執行力是什麼？就是全力以赴，把事情做對、做好（Do things right）。這兩者一個是高層次戰略面的事，一個是底層戰術面的事。

平心而論，大多數工作者用不到策略，就算用得到，機會也少之又少，那是老闆在選擇大方向，進入新領域，「要不要上市？要不要出走？」「要保守，還是要擴張？」這種時候會用得著的事。

不幸的是二十幾年來，策略成爲企業經營最重要的話題，每個人都想運籌帷幄，卻把工作細節放在一旁，天馬行空談大事、談方向、談規畫；但底層翻土、施肥、除草的事，卻沒有人認眞做好，結果是企業經營之田，任其荒蕪。

工作者眞正用得到的是執行力，老闆交付你任務，做什麼事已確定，策略思考的空間很小，你剩下的挑戰是如何把任務完成，把事情做好；老闆交付的事可能是錯的，但是你還是有機會把錯的事做對、做好，讓公司得到比較好的結果。更嚴格的說，執行力不只是把事情做對，更要講究的是用更少的時間、更少的資

源投入，得到更大的成果，這就是執行力。

大多數工作者用得到策略的地方，反而不是在工作上，在公司裡；而是在生涯規畫的內心世界：選對了行業嗎？選對了公司嗎？跟對了老闆嗎？選對了適合自己興趣的工作嗎？這都是你在進入職場前，就已經決定的事。

奉勸所有的工作者一句話，徹底做好現在的工作，高效率的執行，這才是你的本業，至於策略，回家去想吧！

後記：

❶ 我不是喜歡讀書的人，但真要讀書，一定要把書中的道理，轉化為我自己的想法，用我自己的說法，把道理重述一遍。目的是要真正消化書中的道理，每一次我如能成功的重述，就真的感覺心領神會。

策略的書看多了、聽多了，但一直到我用自己的話講出來，我才覺得摸到策略的邊，開始能體會策略是什麼。不論聽到什麼大師言論，嘗試用自己的話，重新說一遍吧！

❷ 有人問我，可不可以把策略再說清楚？

我的說法：「一個人或組織，思考現在處在什麼環境？未來可能如何變動？組織或個人應該做什麼事、應往何處去」這是策略思考，是當我們還未決定行動前，需要先想清楚的事。簡單說，也就是「什麼時候做什麼事、怎麼做，會得到最好的結果」。而執行力是已決定什麼事之後，如何用最快、最有效率的方法完成。

18. 第一時間，勇敢面對

危機隨時都在發生，處理危機也是每一個人一生中必須學會的課題，成功的人都是歷經危機之後，更加強大茁壯，失敗的人，也通常是在危機中覆亡。

美國地產大王川普，遭遇多次危機，但他「第一時間，勇於面對」的態度，讓他逢凶化吉，這是危機處理的帝王法則！

美國的房地產魔術師川普，在上個世紀九〇年代初期，因快速擴張，再加上經濟不景氣，而出現瀕臨倒閉的危機，負債數十億美元。所有的人都在等著看川普的笑話。這時候川普選擇在第一時間，主動面對所有金融機構。他邀集銀行團見面，並提出凍結還款五年的計畫，並且告訴銀行家們，繼續支持他，川普會回報金融機構長遠的獲利；但如果他破產，所有的人都將受害。

川普果真得到金融機構的支持，而在五年的調整改善之後，川普現在又是美國知名的富豪，也是成功的企業家，沒有人受害。

這可是經典的危機處理案例，方法只有一句話：「第一時間，主動且勇敢面對！」

這讓我想起三十年前第一次創業的經驗：當年我開了一家「青年商店」（農委會推廣的小型超商），開店前，因爲貪圖大量進貨折扣，進了一批數量極大的洗衣粉，根本賣不掉，但我完全不知這是問題，也不採取任何方法，幾年後，一直到商店關門，這批貨都是我永遠的痛。

類似的狀況，常常發生，遭遇問題，忽視逃避；面對危機，託辭延宕，非要等到火已經燒起來了，才開始想辦法急救，通常大禍已成，力難回天，台灣多少企業，都是在拖延中灰飛煙滅。

對所有工作者而言，發生困難，面對問題，是每天都會出現的功課；對企業經營者而言，出現經營危機，也是必然的事，問題是大多數人的習慣都是喜歡面對順境、討厭逆境；忽視困難、淡化問題、漠視風險、逃避危機，是人之常情，只有極少數膽識過人的英雄人物，能在「第一時間，主動、勇敢面對」問題與危機，也才能度過困難，永保安康。

如何能成爲一個不逃避問題，勇於面對危機的非常人呢？我的方法很簡單，把最多的時間和精力，分配給那些你心裡不喜歡做的事！

我的經驗是：如果我有幾件事要做，那些我很想做，或是喜歡做的事，通常是好的事、容易做的事或者是錦上添花的事；而不想做的事，通常隱藏著困難，包涵著危機。同樣的，如果你管了許多單位，你喜歡去的單位通常是好的單位；你不想去的單位通常是問題單位。

而逃避問題，最常見的方法就是忽視它，或者認爲它根本沒問題，所有人都會這樣；但內心的直覺，會讓你不喜歡有問題、有困難、有危機的工作。因此當我想通這件事之後，我重新安排我的時間與工作內涵，第一時間優先處理我內心不喜歡的工作，花最多時間去與我不喜歡的單位溝通，花最多精力，去面對我不喜歡的人。因爲這些事、人、單位，通常代表著問題與危機。

至於當危機或問題已經顯現，這就進入緊急處理階段，身爲企業經營者，這時候更是危急存亡的關鍵，就像川普一樣，要不是他的主動，川普王國現在恐怕已經不存在。「第一時間，主動面對」的法則，恐怕是每一個老闆都要學會的第一課。

後記：

地震救難，有所謂的黃金七十二小時的說法，因為超過七十二小時，人存活的機率就降低很多。危機處理也有類似觀念，危機乍現時，傷害不深，而後逐漸擴大，最後徹底毀壞，回天乏術。每一個人都可能走錯路，誤入歧途；每一個人手上，也都可能遇到麻煩事，在最快的時間面對，立即處理，是唯一的方法；逃避拖延，則萬劫不復。

19. 自殺以求生存

人常常會面對轉變，轉變代表未知、代表風險，大多數人都會在面臨轉變時踟躕不前，以致於錯過了時機，如何能在關鍵時候，做出正確的決定呢？

「自殺以求生存」是一句氣派恢宏的格言，從管理學上也有理論依據，成功的公司受限既有的經驗，以致於無法啓動新經營模式，下決心放棄原有模式，這是自殺的準備。個人面對轉型，也要有自殺以求生存的決心。

一個藝人朋友，長期為生涯規畫困擾，許多年來，我們一見面就談到他想轉換工作跑道的問題。原因無他，藝人是論時計酬，雖然酬勞高，但生命週期短，年紀一大，就不能做了，他一直想發展第二專長，以做準備。但這許多年來，既沒結論，也沒行動，因為他丟不掉現在的高收入，也害怕轉換的風險。我對他這樣的討論厭煩，乾脆一見面就先聲明：「今天只談風月，不談工作。」

另一個有為的年輕人，一直對我從事的文化出版業有興趣，也和我談了許多

年，有沒有機會來從事出版工作，我當然樂意。只可惜他一直在電視圈工作，待遇甚高，降薪做理想，他又下不了決心，因此一切也就是談談罷了，只是他又一直以未能從事文化出版工作爲憾！

最近重讀哈佛大學教授克里斯汀生（Clayton Christnesen）有關創新理論的鉅作《創新的兩難》（The Innovator's Dilemma），感觸甚多，原來這兩位朋友，遇到的困難，是有理論根據的，他們都被現在的成功模式所苦，以至於不敢跨出新領域，這就跟所有成功的企業一樣，當面臨新科技的「典範轉移」時（或新環境變化），總是躊躇不前，他們面臨的是「轉變的兩難」。

克里斯汀生教授的建議是，成立新公司、新組織，獨立於原有組織之外，以測試新科技、新環境、新市場，以迎接挑戰。同時要有心理準備，新公司未來可能扼殺原有公司的生存，這是「自殺以求生存」，不過自殺總比被殺死好，而且自殺之後，還有新公司延續，這是另一種永續經營。

好一個「自殺以求生存」，這是多壯烈的話，只是太血腥，也太淒涼了。對大

多數人，其實沒有自殺的勇氣與決心。好在克里斯汀生的眞義，並不是要大家自殺，他只是要大家面對新環境，啓動新公司，採取新測試作爲，用你現在還能賺錢的經營模式，去投資創新產業。自殺也是一種心理準備，意味著有一天當「創新模式」席捲而來時，既有的公司可能死亡。

更大的問題在於，如果你沒有及早啓動應變計畫，採取行動，一直到面臨生死存亡之時，才採取「自殺以求生存」的行動，一切都時不我予，來不及了。許多大公司的衰亡，都是當「典範轉移」已經確立，新產品、新科技已經被證實爲主流產品，才採取行動，可是這時新興公司早已以迅雷不及掩耳之勢席捲市場，再加上新興公司可能也已建立許多進入障礙，大公司根本來不及回應，比賽已經結束。

一切的作爲，要從危機開始，當感受到「創新科技」、「創新公司」及環境變遷的威脅，就不能坐視，就要採取行動。這時候創新科技生產的產品功能可能還不足以滿足主流市場的需要，這個時候創新公司的實力，可能也只是不起眼的「車庫公司」；這個時候，社會環境中，可能只是一小撮前衛人士在談論新的趨

勢、新的生活形態，一切都跟你過去所熟悉的狀況沒兩樣，但這是你採取自殺行動的黃金時間，再晚就來不及了。

企業的狀況，又比個人好太多了，因爲企業可以「以新帶舊」，新測試公司的生命可與原有公司重疊，那是「First Curve」與「Second Curve」的關係。企業不需要自殺，只是餵養一個新公司而已。但個人不同，你的生涯不能重疊，一個人也不可能做兩件事，頂多只能培養新興趣、培養新事業，以待後日不時之需。但這仍然不是生涯轉換，眞正的生涯轉換，仍是需要「自殺」的決心與行動。

後記：

一個讀者問我，說自殺太嚴重，而且一個人要如何自殺呢？答案很簡單，當然不是真的自殺。而是捨棄：捨棄現有的成果、捨棄現有的習慣、捨棄現有的工作，因為不捨棄，我們無法下決心轉變。

把自己放在一個回不了頭的情境，做了過河卒子，只有勇往向前，這就是自殺，進而才能重生。

20. 工作不當在野黨

許多工作者喜歡負面思考，面對公司、面對老闆老是對立、老是批判，想從公司口袋中得到更多，稍不順心，對公司就惡言相向，這樣的職場是緊張的，是痛苦的。

公司可以選個人，個人當然可以選公司，合則來，不合則去，其實不用互相為難，尋找認同自己的公司，做公司內的執政黨，這是我快樂工作的重要祕訣。

剛進媒體工作的時候，發覺同事非常喜歡批判公司、批判自己的報紙、批判老闆、批判組織，當時的我，正沉醉這個媒體所提供的舞台，讓我有發揮機會，那種成就感勝過一切。因此，對同事的對內批判行為百思不解。我很想問他們：如果對公司這麼不滿意，爲什麼不辭職呢？

所幸我始終沒有問，否則一定變成過街老鼠，人人喊打。事後我明白組織裡永遠有「異議分子」，有「在野黨」。不論組織（公司）的制度再好，總有在組織

內受挫折的不滿分子，他們永遠用負面的角度來看問題，因此公司會給他們編派得一無是處。而媒體人就更不用說了，一向伶牙俐齒，批判成習，對外批判慣了，對內就絕不會手軟。

可是有一件事，我始終不明白。公司是我們工作的地方，某種意義上，就像我們的家一樣，就算這個家再壞、再簡陋，爲什麼還要去批判它？批判我們所服務的公司，不就等於也批判了自己嗎？或許有人會說，公司只是我上班的地方，並不是我的家；公司是公司，我是我，爲什麼不能批判，尤其當公司有不對、不好的地方，我更應該講出來。

我當然理解，公司是公司，我是我，兩者之間並無等號。但我相信的是，就算公司並不是我的家，但至少也不是仇敵，沒有必要老是負面看待。更重要的是，我也可以選擇公司，如果公司不好，腿長在我身上，離開就是了，爲什麼還要留在原地，卻不斷相看兩厭、不斷惡言相向呢？

因此，在工作與公司之間，我得到一個清楚的結論，只要在公司服務，我一定在工作上成爲主流派、執政黨，公司的政策與我的想法完全一致，我是公司最重要而且認同的工作者，這樣我在公司中會擁有最好的工作氣氛與工作成就感。

不過這樣的期待也可能是一廂情願，我的能力、我的表現，很可能比不上我的同事，想躋身主流派而不可得，這個時候，我會衡量狀況，我有沒有機會表現得更好，更被重視、重用，如果有機會，我會等、我會忍。但如果沒機會，我會義無反顧的「逃」。離開大媒體，我獨立創業，有很重要、不爲人知的原因，就是在工作上，我的同事高手如雲，打不過他們，比不過他們，逃避總可以吧！

經過這幾十年的工作，我更確認在職場上、在工作上做主流派的重要。因爲我看過太多扮演職場「在野黨」的人的悲慘下場，不是在工作上長期被邊緣化，得不到認同、得不到肯定，弄得自己抑鬱終生，變成可憐的人。更嚴重的是和公司反目，淪爲裁員、資遣的對象，浪費了青春、浪費了生命，得不到自我肯定。

我確定，要工作，就認同公司、認同老闆、全力以赴，做組織的執政黨；要不就辭職走人，天下之大，豈無我發揮之地，尋找認同我的公司去奉獻。只有一件事，我絕對不做：在組織中淪爲在野黨，自怨自艾、抱怨批判、浪費青春、虛擲生命！

後記：

有人問我，在公司中做主流派，不就是做老闆的走狗、應聲蟲嗎？

我不願用這樣的思考角度，我認為工作者和公司、和組織、和老闆是一家人，做主流派的意思，是和公司有共識，有共同的願景，與老闆利害與共。

做主流派的意思，更是大家同心協力，是一個緊密的工作團隊，那是工作的最佳氛圍。

21. 承認自己是壞人

大多數人不能承認自己缺點，聽到別人對自己有負面的評價，第一時間努力做的是：解釋、辯駁，反而不容易去檢討改進。孔夫子說的「聞過則喜」，其前提是要能承認有過，才能喜、才能改、才能進步。

而人不能承認自己有缺點，其原因是認為自己是好人、是完人，如果我們能承認自己是壞人，身上有許多壞的基因，那就不會浪費時間去解釋了。

每一次看到媒體報導我們的公司時，總是覺得不對勁，如果是負面的報導，那當然不是事實，都是媒體斷章取義，別具用心；就算是正面的報導，我也覺得不對，覺得媒體沒有寫出我們公司眞正的好，媒體對我們公司瞭解不夠！

這是對自己公司的看法，如果是聽到別人對自己的評價，那就更極端了。只要聽到別人談起自己，絕對聽不進任何負面的評價，一旦聽到任何負面的評價，我們通常的反應是：這是誰說的？第一時間要找到誹謗自己的兇手；通常知道是

誰說的之後，接下來，我們就會汙名化這個兇手：「因爲我得罪過他，所以他就打擊我！」或者「這個人講話本來就不客觀，他看誰都不順眼……」有時候雖然覺得別人的說法有道理，我可能確實有這樣的缺點，但是最後還是免不了替自己辯駁：是別人誤會了，當時的情況不是那樣，我絕對不是那樣的人……。

有很長的時間，我活在別人的評價和自我認知間的人我戰爭中，不論我多麼眞誠，我改變不了別人可能對我的一些負面評價；不論我如何解釋，也無從讓所有的人都了解我，那是一段痛苦的日子，活在別人的陰影中，我找不到眞正的自我。

直到有一次，媒體上寫了一段我公司的負面新聞，其離譜的程度，到我不需要辯駁，社會大衆就知道不是眞的。因爲這樣，我反而哈哈大笑，自我嘲解：「一定是我過去當記者時，寫了非常多缺德的報導，現在才會有這樣的報應！」這次坦然面對的經驗，讓我有全然不同的觀感，我覺得眞相永遠在那裡，其實沒有人能一手遮天的。而好壞之間似乎也沒有截然的分野，端看評價者對自己的立場和態度而定，朋友會說我是好人，敵人會說我是壞人，而我到底是好人還是壞人

呢？誰知道！

有了這一次的經驗之後，我開始走出別人評價的陰影，我不再在乎別人對我的說法是否合乎我自己的認知，我只在乎造成這些評價背後的事實如何，如果這些負面的評價是事實，那我就努力去改正那些負面的評價。

再過了一段時間之後，我的認知就更昇華了，我明確知道自己可能是「壞人」，會有「壞心眼」，會「做壞事」，因爲我不可能是完美的人，我只是一個會犯錯的平凡人，因此我對外界的評價，有更坦然的態度，我連分辨事實與否都免了。我根本假設我自己就是「壞人」，別人對我的負面評價，就是事實，因此我現在唯一該想、該做的就是如何去改善、如何去改變。

我發覺我的調整變快了，因爲過去我常會浪費時間去分辨眞相，現在卻可以直接檢討、直接改進。省卻了許多的口舌之爭。更重要的是，當我「承認自己是壞人」之後，所有的人都願意給我意見，提醒我改善，因爲我不像過去那麼自我防禦、拒人千里，承認自己是壞人，才是眞正變好的開始。

後記：

❶有很長的時間，我已經不願意再規過勸善，就算是很好的朋友，我也不再直言無諱。因為給朋友建議，都要冒著引發爭辯，引起不愉快的危險，甚至還會被誤會對朋友有成見。可是當我習慣閉起嘴巴之後，我知道受到最大傷害的是朋友，因為問題永遠會留在他們身上。

❷許多人不能承認錯誤，主要原因是缺乏自信，更可能是能力不足，深怕承認缺點後，就會為人輕視，尋找自信，是改過遷善的開始。

22. 好做的事與把事做好

我們經常本末倒置，當我們搞砸一件事時，我們會說這件事太難做了，所以沒做好。而到底是事情難做，還是我們沒做好？誰都不知道。

正確的觀念是：「把事情做好，就算難做也好做。沒把事情做好，就算好做也難做！」

遇到一個許久沒見的部屬，我關心的問：現在在做什麼？他回答：我現在開一間小店，可是實在很難做；他接著反問：「何先生，你知道有什麼比較好做嗎？我想找一個比較好做的事。」我無言以對。

每一個人都在尋找好做的事、容易做的事。公務員碰面會問：你那個缺好嗎？意思是說：工作輕鬆嗎？責任輕嗎？薪水待遇高嗎？生意人碰頭會問：你那個生意好做嗎？意思是說：競爭激不激烈？好不好賺？一般工作者相遇，問的也是工作好不好做，意思是是否「事少、錢多、離家近」？

我無言以對的原因是，世界上哪有好做的事，哪有輕鬆的事，哪有容易的事？可是爲什麼大多數人偏偏都這樣想，每天都在找好做的事，許多人找了一輩子，什麼也沒找到，換得的是一生一世的蹉跎！

我聽過一個醫生家族，告誡下一代學醫要學皮膚科，千萬別當外科醫生，因爲美容整型當紅，好賺又沒風險，外科醫生太辛苦又危險。我還聽過一對父母親，要小孩去當老師，不是要得天下英才而教，而是可以收補習費，而且退休生活優裕而輕鬆。

這其實都是令人傷感的說法，如果台灣全社會的人都揀輕鬆、好做的做，那辛苦的事誰來做？台灣會變成一個如何急功近利的社會？

撇開社會的公益不談，就個人的角度來看，工作趨吉避凶理所當然，但問題是一味的找尋好做的事，眞能得到最好的結果嗎？

我個人是不相信這個說法的，我不相信世界上有好做的事，更不相信有容易賺的錢，更沒有簡單料理的生意！

我不相信「好做」，我只相信「做好」，因爲世界上沒有好做的事，任何事只

要你能把它做好，最後都會有好結果的。

一個人只想找好做的事，根本是認知上的錯誤，因爲世界上沒有好做的事，用一輩子尋尋覓覓，也不可能找到，結果只會落一個好高騖遠、眼高手低、不切實際的批評。

尋找好做的事，是聰明人的思考，是用巧，是走捷徑。選一件事，把事情做透、做好，是笨人的事，是癡人的思考，有的是傻勁，有的是執著。

好做的路，熙來攘往，人聲鼎沸，大家都擠在一起，就算有好做的事，也早有人捷足先登，八字不夠好、不夠硬的人是輪不到的。而就算你有機會遇到，沒一會兒，跟進的人也人滿爲患，一旦大家都跳進去做，好做的事也變成難做了。

「做好」的路，參與者較少，因爲笨人不多。但是因爲是做好，要靠苦力、靠耐力、靠死力，而一旦做好，別人就算聞香而來，跟進學步，也並不容易，這是管理學上所謂的「進入障礙」，也是所謂的核心競爭力。

捨「好做」，就「做好」，是當今競爭激烈的社會的成功要素，不再猶豫、不再尋找，也不要再問那個笨問題：你那一行好做嗎？

後記：

一個朋友想投資做一本新雜誌，專程來問我意見：某某類型的雜誌好做嗎？我告訴他，現在社會競爭激烈，任何市場，都人滿為患，沒有一種雜誌好做。

這位朋友不太滿意，覺得我不肯講真話，我十分無奈，看來想要擺脫「好做」的觀念十分困難。

23. 追根究柢的專業精神

我看大多數人的工作，都不順眼，或許我有處女座的「龜毛」吧！可是龜毛之外，我強調的是做對、做好，如果憑良知能就能做，一定不會好，還要經過痛苦的追根究柢的過程，才能做對、做好，那是專業的要求。

每次看日本的電視節目「搶救貧窮大作戰」，心中都有極深的感慨：原來這個世界還有這麼多人根本不知道怎麼當老闆，可是卻當起老闆。而要當一個成功的好老闆，原來每一件小事，都有極深的學問和講究，而這些講究、堅持、學問，其實就是現代企業經營所強調的專業主義。

經營企業只有兩種形態：專業與業餘。專業的老闆會成功，而業餘的老闆也許在短時間內，因為機緣、運氣，偶爾會有小成，但長期下來終究要失敗。「搶救貧窮大作戰」永遠拿「達人」（專家）與業餘的老闆做對比，讓專家來教導業餘的經營者怎麼做生意，從step by step，一步步怎麼做，到理念、到服務的熱忱，到敬畏每一項原料，到做好每一件事的堅持。印象中，這個節目中，從來沒有談

到賺錢的方法，可是賺錢是件隨著經營者做好每一件事，強調用專業的方法、用專業的精神，做好服務之後，自然而來的報償。

可是「達人」並非天生，他也是經過長期學習、磨練、研究而來，學習與歷練是承襲前人的經驗，而研究則是發揚光大，創造新的競爭優勢。每一個達人都有獨門的絕技，有的可公開、有的不傳外人，但都是透過長期的探索、研究，在不斷的「追根究柢」之後，而形成專業，變成專家。

這樣的專業精神，放諸四海而皆準。記得我曾經問過台塑集團的許多高級主管：台塑被譽爲經營的典範，那台塑的管理精神是什麼？他們回答的用詞很不一致，顯示台塑內部並無統一的說法，不過歸納起來，都指向一個重點，那就是「追根究柢」的態度。當時無法體會，「追根究柢」這四個簡單、通俗的字，怎麼會塑造台塑王國呢？

後來接觸了比較多的管理實務，發覺每一件事情的解決都是透過追根究柢的過程，工作沒效率，追蹤到底是人，還是方法，還是流程，還是其他因素，哪裡有問題，就改哪裡，一路要追到徹底改善、效率提升爲止。

追根究柢的過程，我們可能不只自己找答案，還要找專家、找同業，找異業學習，然後把每一件事情，都找到標準化的作業流程，然後不斷改進，這就是最佳化（Best Practice），然後要求工作者，反覆練習，一直到徹底熟練，每一次作業的誤差都很少（六個標準差），當然可以得到最好的良率、最高的績效。

每一個人，如果也能用追根究柢的精神，探索工作、生活的每一個細節，都有機會培養出某一種專業，而擁有追根究柢的專業態度，當然就是專業人。成功人士一定是專業的，你要成爲那一種人呢？

後記：

現在社會流行「達人」，任何領域都要尋找達人，可是什麼是達人呢？專業就是答案！

24. 少用判斷，多用計算：如何找到答案

每個人每天都在做決定，大多數的決定都是憑經驗、憑感覺，每一個人都需要發展出一套盡可能量化的決策過程，用資料、用計算、用分析，就可以得到結果，而不要用直覺碰運氣。

剛開始學習出版時，編輯來問我：有一本書的內容是這樣，作者是誰，我感覺這本書的內容不錯，何先生，你覺得怎麼樣，值得出版嗎？

那時候，不敢承認我不懂，只有努力的和他一起討論內容、討論作者、討論市場，然後下一個連我自己都不知道對還錯的判斷。

回想那一段，我能存活到現在，眞是承天之幸。

後來，當然就不是這樣了，我們發展出一張試算表，我稱它爲出版的「帝王表單」，把所有的思考，都已經盡可能量化，只要塡上各種參數，自動跑出可能的營運結果，我們依賴計算，用了很少的判斷，這是一個去掉直覺、少用判斷，搜集資料，多用計算的過程。

判斷與計算有何差別？判斷是直覺的、判斷是使用資訊少的、判斷是問結果、判斷是一翻兩瞪眼的、判斷往往是現象與經驗的立即反射、反應。

可是計算不同，計算需要有豐富的訊息與情報做基礎，然後進行複雜的未來推演，然後分別就每一種可能仔細計算利弊得失，讓決策者在複雜的情境中，能夠得到可資判斷的基礎。

嚴格來說，計算是判斷的前置作業，當所有的可能算計清楚之後，判斷才有用武之地，計算強調的是過程、強調的是未來模擬、強調的是書面作業、強調的是精準分析、強調的是做出數個方案的可能選擇。

反過來說，判斷可能是盲目的，他主要的憑藉是經驗與直覺。不幸的是，經驗又有高度的風險性，因爲經驗是過去的情境、過去的歷史，而判斷是要替未來做決定。用過去的情境、用過去的經驗，要分析未來可能發生的事，難免會有高度的時間落差，而導致判斷錯誤。

或許我們應該說，精準的計算是大企業做的事，因爲有足夠的人力、足夠的資源、足夠的知識，讓每一項決策，都在足夠的訊息及情報基礎下完成最佳的分析。這樣的決策理論上，較少犯錯的可能。

不幸的是，做爲一個企業經營者，大多數的情境，都是在不可能完成這麼精準的計算下，就需要用判斷來做決定，那又如何避免判斷可能犯的錯呢？

一個快速計算習慣的養成可能非常重要，快速計算的習慣包括幾個重要的步驟：一、盡可能地情報蒐集；二、找出關鍵性的變數；三、就這些關鍵性的變動，進行快速的變動因素試算，以形成幾個不同的可能，不同結果的方案；四、就這些可能再進行最後的判斷。

經過這些程序，或許我們仍然不能全然掌握未來的變動，但至少我們可減少直覺的判斷，進而減少直覺的錯誤！

後記：

說到計算，我們都應該感謝微軟這家公司出了excel軟體，他的試算表，能力超強，解決了許多問題，我常告訴小朋友，做生意如果不會試算表，賠錢是應該的。

Chapter ❸
自慢的專業方法

經過不斷嘗試後，
我自己找出許多工作的概念與方法，
這些想法是不是最好的，我不知道，
但這是我最自慢的方法。

大學念書的時候，暑假在郵局打工，擔任郵件的分區分撿工作。每天都有成千上萬的郵件，要按各區域分別歸類，才能分開送達。那是一個極無趣而無聊的工作。我一度想中途逃離，但害怕留下不良的打工記錄，只好勉強繼續留下來。

但日子實在太難過了，一定要想一個方法自我排遣，於是我自己和自己挑戰。我用三分鐘為一單位，看看每一節我能分撿多少份郵件，剛開始每一節能分撿一百多件，到最後我最高記錄一節三分鐘能超過三百件，當然為了提高速度，我自己不斷研究步驟與方法，經過不斷測試，再反覆練習，當我打工結束時，主管頒了一個獎給我，因為我是速度最高的工讀生，事實上，許多郵局的正式員工也比不上我。

用專業的態度，探索工作的每一項細節，並找到最佳的工作方法，這是我一向的工作習慣，我會先做分解動作，我會重新思考工作邏輯，我會改變流程，經過不斷嘗試後，我自己找出許多工作的概念與方法，這些想法是不是最好的，我不知道，但這是我最自慢的方法。

25. 從複雜到簡單：工作成就基本原理

事情做不好的原因只有一個：那就是事情太複雜，以至於工作者的能力不足以應付。因此改善的方法只有一個：要不把事情變簡單，要不就提升工作者的能力。只是工作者能力的提升曠日廢時，不易期待。因此，把事情變簡單是唯一的方法。

剛開始做出版的時候，書賣不好，只好想盡各種辦法來賣書，辦演講會推廣、辦書展打折販賣；找特殊通路，低價批掉；拜託經銷商，對我們的書給予特殊照顧。所有的努力，就是要把產品賣掉，改變營運的窘境！

但一切的努力，多屬白費，生意雖然有多做一些，但因而增加的成本似乎更高。更可怕的是，所有的特殊作爲，都把公司的營運模式變得更複雜。許多的作爲，彼此衝突，以至於營運沒改善，但公司紊亂不堪，每天都在救火。

事後，我終於弄清楚，我犯了什麼錯。事情做不好的原因只有一個：那就是事情太複雜，以至於工作者的能力不足以應付。因此改善的方法只有一個：要不

把事情變簡單，要不就提升工作者的能力。只是工作者能力的提升曠日廢時，不易期待。因此，把事情變簡單是唯一的方法。

只不過，我所有的改善作爲，全部是把事情變複雜，結果當然是緣木求魚！至於如何把事情變簡單呢？改變自己、改變產品是最簡單的方法，因爲我沒做出讀者所需要的產品，所以書賣不掉，只要我想法改變、做法改變，做出眞正滿足讀者所需要的產品，這不是最簡單的方法嗎？

有了自己慘痛的經驗後，我開始觀察所有的生意，發覺這世界還不乏和我一樣的笨人：一個三坪大的小店，賣了十幾種麵，牛肉麵、排骨麵……，問題是樣樣難吃，生意不好是因爲手藝不佳、口味不佳，不是品種少；一個小貿易公司，代理了幾十樣商品，問題是沒一樣賣得好！一張小小的名片，上面十幾種頭銜，什麼事都做，只不知道什麼才是核心專業。

年紀越大，經驗越多，我越來越清楚「簡單」的重要，發覺「簡單」是許多事的關鍵成功因素。

許多人因爲「簡單」，一輩子只做一件事，因而成就無人可比的專業，成爲該

行業的頂尖達人。許多生意，因爲簡單，只解決大衆的某一種困難，因而變成不可或缺。許多產品，因爲簡單，只針對一種人、只滿足一種人，市場不大，但精準而高價。許多人，因爲簡單，心思單純，容易相處；許多人做決定，因爲簡單，目標清楚，只有勇往直前，義無反顧，所以成功。還有人因爲簡單，所以立場一致，始終如一，所以贏得信任。

簡單還可以用各種不同的形式出現：生活簡單，可以養廉，無欲則剛，人品自高。目標簡單，是聚焦、是方向明確、是共識、是團結一致。方法簡單，是流程簡化、是找到標準作業程序、是成本降低、是競爭力提升。做人簡單，是不說假話、表裡如一，無不可告人之事，一切眞誠相待。

人的成長是一個從簡單到複雜的社會化過程，但隨著知識與經驗複雜之後，我們也喪失了「簡單」的原力，面對外在的複雜，內心回歸簡單是一個自我再發現之路。

後記：

剛開始當記者時，常覺得受訪者沒誠意。問成功的企業家，成功

的原因是什麼？他們回答的不是認真，就是誠信，要不就是努力。問成功的銷售人員為什麼成功，他們回答的也會令你絕倒：勤快、認真、心中有客户……。

結果當我體會到簡單的道理後，發覺一切答案都是如此簡單，回到原點就會成功。我們不成功，因為連最簡單的事都沒做好。

26. 想清楚、寫下來、說出來

我遇過許多非常能幹的人，這些人經常紙筆不離身，不論何時何地，都隨時記錄下來。面對這種人，我戒慎恐懼，因為所有的事都無所遁形，白紙黑字，清楚明白。

大多數人偷懶，只用嘴巴溝通，常有極大的落差，如果能養成「寫下來」書面文字化的習慣，會大幅提升工作效率。

要觀察一個公司是否嚴謹，看他們如何開會就知道了。如果開會時每一個人都只是帶一張嘴，即興發言，這肯定是一家不嚴謹的公司，因爲肯定每一個人都只是用直覺與反射神經在互相應對，不可能有深度的思考與規畫。

我年輕的時候就是如此，一向自恃口才便給、反應靈敏，因此大多數的情況，都是即席反應、即席應對。除非有人要求事先提報會前資料，我才會勉強應付。但是當我有機會比較這兩者的差異時，我幡然悔悟：「想清楚、寫下來、說出來」變成我自我強迫的工作習慣。

從此以後，我要求開會時，每一個人務必要事前準備文字資料。每個人都瞭解，我最討厭帶一張嘴巴來跟我胡說八道的人。而且我最瞭解這些人是如何打混，因爲我曾經是那個最會帶一張嘴到處打混的人。

看起來這是三個步驟：想、寫、說。其實其中的關鍵只有一個，就是「寫下來」，準備一份書面資料，會使所有不明確、不精準、不嚴謹的問題一筆勾銷。

根據我自己的經驗，如果不寫下來，其實我並沒有想得少，想清楚這個步驟是永遠存在的。但是因爲沒有寫下來，想只是發散性的思考，是片段的，是不周延的，而直接跳到說的過程，又會有非常多的遺漏。同一件事，如果我有機會重複說，我發覺我每一次說的都不一樣，這就是沒有「寫下來」使然。

而當我決定「寫下來」以後，我更發覺「想清楚」這個環節會更加嚴謹周延。我不再是天馬行空的想。我會先用Bottom up的方法，寫下每一個相關的思考要點，這是隨機的、發散的，一旦形成足夠的量之後，我再用歸納、演繹及相關連性進行整理，最後我會重新組合，形成一個結構嚴謹的書面資料。然後，再根據這個書面資料進行說明。這就是「想清楚、寫下來、說出來」工作三步驟。

這其中還有機會把書面的文字資料，進一步整理成圖解式的表述形式，那麼

對自己，對其他人，都會更具有說服力，也更一目了然，絕對會加速討論、溝通與達成共識。

或許有人會說，寫下來這是多麼繁複的過程，我只是表達意見而已，有必要這麼麻煩嗎？我要說：第一、經過「寫下來」這個步驟，其實是一項訓練，只要你養成習慣，絕不繁複，可以很快完成。第二、「寫下來」這件事其實更是一種工作態度，代表你的慎始敬終，嚴謹小心，絕對有助於你在之前「想清楚」，在之後「說明白」，這是一個關鍵步驟，絕不能省。

更何況，未來的數位時代，留下紀錄，留下檔案，更是不可或缺的習慣，應該訓練自己閉上嘴巴，除非你事先已經寫下來。

後記：

語言是溝通工具，文字是記錄存證工具，而文字化的過程，又可以讓思考徹底沉澱，擅於使用文字的人，通常是深沉而嚴謹的。在我的工作檔案中，留存了無數的文字記錄，各種計畫、企劃書、文章、小抄，這其實也充滿了回憶。

27. 有做、做完、做對、做好

為什麼做完了所有的事，卻達不成原來期待的目標，結果和自己的想像不一樣？

仔細拆解工作的四個層次：有做、做完、做對、做好，就不難找到問題的癥結。

在每個月都要做的檢討會中，有一個雜誌團隊營運出現了問題，我仔細檢視了他們的產品，我直覺的感受到，他們並沒有眞正瞭解讀者的需要，產品因而也就沒能眞正滿足讀者。於是我嘗試建議：定位應如何調整，內容選題應如何修正。沒想到這個單位主管竟告訴我，他們就是這樣想，也是這樣在工作。

我十分納悶，這本雜誌的內容，跟我所說的方向明明差距很大，怎麼會一樣呢？仔細分析，我終於瞭解：這是執行面的落差所造成。因爲他們的定位大致是對的，但理解不深刻，工作的落差很大，所想的和所做的完全不對稱，以至於結果完全不一樣。

嚴格來說，工作有四個層次：有做、做完、做對、做好。如果事情很簡單，流程很清楚，工作有做就等於做完，甚至就等於做對、做好。如下班要關燈這件事，只要有做，就是做對、做好，四個層次沒差別。但大多數工作並不是這麼簡單。以辦公室的電話總機爲例，有做、做完、做對、做好完全不一樣。因此人人都在做總機，但每個人都不一樣，你很容易辨認誰是好總機，誰是壞總機，而他們的工作成果，也反映了整個公司的嚴謹程度。

「有做」與「做完」的層次是具象而明確的。由於許多工作的步驟複雜，有做不等於做完，因此公司管理爲什麼會講究流程標準化，會追逐最佳實務，這都是要讓每一項工作，不論誰做、不論什麼時候做，每一次都確定有做，而且做完，並期待得到一樣的結果。

「做對」與「做好」則是質量的層次，不容易用過程來檢驗，而是看結果是否達到我們預期的目標，如果沒有達成預期的目標，就是沒有做對，也沒有做好！

以前面的雜誌團隊爲例，他們的定位沒錯、方向沒錯，也編出一本刊物，這是有做，也做完；但讀者不認同，這是沒做對，也沒做好。當我再仔細檢查，更

有趣的事情出現了，有許多內容吻合定位，選題是對的；但仔細看，不是無病呻吟，內容沒搔著癢處，就是一筆帶過，輕描淡寫。這就是典型的沒有做對、沒有做好。

「有做、做完」是表面的層次，比較容易完成，當大家水準都不高時，做了就是好的。但當整個社會成熟了之後，競爭激烈，那講究的就不只是做了沒，更要求要「做對、做好」。每一次看日本的電視節目，處處表現出一個高度成熟社會，每一件事都要做到極致的精神，每一個工作者都要花一輩子去追逐一件事。他們的敬業、他們的研究精神、他們對客戶的態度，我可以感受到那是一個追逐「做對、做好、做極致」的社會，每一個人、每一種工作都在追逐「達人」的境界。

我幾乎可以確認，目前台灣社會的水準，只在「有做、做完」的層次，離「做對、做好」還很遠，每一個人、每一種工作，都應該仔細想一想，還有多大的成長空間。

後記：

有一個讀者問我，有做、做完比較容易檢查，但做對、做好要怎麼檢查呢？

這是一個有趣的問題，有做與做完是數量層次；而做對、做好是質量層次，不容易從表面去觀察，需要更進一步的量測方法。而且做對、做好通常是相關人的感受來決定，所謂的「客户滿意度」通常指的就是是否做對、做好。從使用者及被服務者身上觀察他們的反應，就可以找到答案。

28. 工作的加法邏輯

正確精準的完成工作，工作會做完一件少一件，但不正確精準的做事，工作會越做越多，因為要花更大的精力去彌補錯誤。

這是一個忙碌的社會，每個人都像走馬燈一般，和工作奮戰，和時間奮戰，用生命去換取成果與金錢，缺乏停歇與思考的空間。

因爲工作做不完，因爲想做的事太多，因此就急急忙忙、匆匆促促完成每一件事，求得就是更快、更好的成果。

問題是，這樣急就章的工作循環，眞能得到你所想要的成果嗎？答案是否定的，因爲這樣會陷入工作越做越多的加法邏輯。

理論上，工作是做完一件，少一件，扣除新產生的任務或工作不算，如果你有五件工作，做完一件，剩四件；做完兩件，剩三件，這是正確的工作方式，所產生的良性循環——減法邏輯，工作越做越少。

可是，大多數緊張、忙碌，像走馬燈一般的工作者，陷入的是工作的惡性循

環——工作的加法邏輯。

我曾經要祕書，寄出兩封問候函，分別給兩位洽商中的合作夥伴，因爲我正要在這兩家同性質的公司中，決定一家合作。很不幸的，我的祕書，把兩封信裝反了，其後果可想而知，當他們知道我腳踏兩條船，都在進行合作評估時，就沒有人要理我了。不管我和我的祕書再怎麼解釋、說明都沒有用。

事後，我們檢討爲何會發生這樣的悲劇？理由是祕書太忙了，每天堆積如山的工作，讓她喘不過氣來，讓她只能匆忙的處理，讓她無法小心謹慎的做好每一件事，結果是，每做完一件事，可能因爲錯誤，而多增加了兩件善後處理的事。工作就像孫悟空的頭，砍掉一個長出兩個，越砍越多，越長越多。

我們得到一個教訓，不論工作再多、再忙，都要小心、謹慎，仔細的做好每一件事，工作的良性循環才會出現，做完一件少一件。否則我們就會陷入工作的惡性循環——加法邏輯，做完一件多兩件。

現代的企業管理，講究的是標準化的工作流程，最佳化的實務典範（best

practice），其實要求的也就是精準的、有效率的完成每一個工作步驟，也就是要求把每一項工作，做到最好、做到完美，講究的是質的提升，而不是量的追求。

工作者也是如此，對付忙碌的工作，講究的也是質的完美，要養成好的工作習慣，一步步仔細的完成每一件事，寧可慢，不要錯，這才會回到工作的正軌，做完一件少一件的減法邏輯。

後記：

這是一個講求速度的世界，要用最短的時間完成最多的事，工作的加法邏輯：事情越做越多，就是追逐速度的後遺症。

「貪多」、「貪心」也是原因之一，因為期待太大，讓自己有過多的負擔，以至於忙不過來，而犧牲了品質，有時候放慢腳步是必要的。

29. 準時是經營的原點

祕魯人因全國都不準時，不得不舉辦全國對時儀式，希望從此能養成守時的習慣。對個人而言，守時是修養、是禮貌；對公司而言，準時是紀律、是競爭力、是效率，絕不可等閒視之。

日本7-ELEVEN會長鈴木敏文在他的零售鉅著《7-ELEVEN零售聖經》（商賣的原點）中，特別指出零售的基本成功祕訣之一是清潔維護，這是多麼不像道理的道理，可說是一點學問也沒有。但是這麼普通的常識，卻是7-ELEVEN成功的關鍵，實在發人深省。

企業經營也有類似的狀況，「準時」是人人都知道的原則，但是這也是高效率經營與成功關鍵。

每一個公司都有計畫，每個計畫也都會有時間表，問題是有多少人能精準的按時間表執行？那一個計畫不是有太多的變數與意外，最後所有的時間表都只是僅供參考，而大多數人也都對「不準時」習以為常，從來也不知道「準時」是高

效率與成功經營企業的關鍵。

長期的媒體工作，讓我養成謹守「dead line」的習慣，因爲刊物要準時與讀者見面，不論發生任何的意外，都要能被管理與補救，與讀者見面的時間不能延誤。這個習慣也很自然的被我運用到公司管理上，剛開始這只是經驗的延續，並不知其中的奧妙，但長期下來，我確認「準時」是一切經營的基本道理，也是效率與品質的關鍵。

首先爲了「準時」，你就要有能力管理意外與變動，而要管理意外與變動，就要設定足夠應變的時間，並進行綿密的管理，並且要事先設定好意外的替代方案。而如果能提前準備，並綿密管理，當意外不出現時，你就會有多餘的時間，精雕細琢每一個細緻的工作環節；當你精雕細琢每一個工作環節與流程時，消極的你會把錯誤降到最低，積極的你會把工作的品質提升到最高。如果這樣，公司的營運一定會較過去大幅提升，這就是我體會出來的「準時」是一切經營的原點的道理。

沒有學問，人人皆知，但是很少人眞正做到，這也就回應了企業經營「沒有

Magic，只有Basic」的道理。

至於能不能「準時」，做得到做不到「準時」，這完全不是方法問題，而是態度問題。只要你把「準時」當做是工作的帝王條款，不可變動，你就會想盡辦法達到，而且也一定達得到，因爲爲了尊重時間表，一切意外也都可以被管理，當意外也能管理，就沒有任何不能管理的事了。

後記：

我曾經讓不準時出席會議的高層主管，站著開會十分鐘，從此之後，全公司爭相走告，我如何無禮、如何嚴厲，但也從此知道守時、準時。

也有人質疑，路上交通不佳，很多事情無法控制，這麼嚴格要求準時，並不合理。這絕對是錯誤的說法，為什麼搭飛機很少聽到有人遲到，錯過飛機？因為你提前，因為你知道飛機不等你。

因此要不要準時，是態度、是規則，而不是不合理。

30.「好用」的人正當紅

每一個人在組織中，都有明確的職位、明確的分工，這是組織的基本原理。但絕不代表每一個人只能做一件事、只要做一件事，當必要的時候，工作上的彈性調度是難免的，願意配合組織，彈性調整，出任艱難的人，通常是組織積極培養的人才。

一位從國外留學回來的主管，拒絕了我交付的一項臨時性工作，理由是這件事與她的職位及工作無關。我不能勉強她，也不能說她錯，因爲確實與她的分內工作無關，但從此我對她的印象大打折扣。

理由很簡單，她在公司內是個不「好用」的人。雖然她在本分的工作內稱職負責，可是當公司有變動、有急用時，她僵硬的態度，畫地自限的自外於公司的需要，自然無法與公司同舟共濟。

日本知名財經雜誌《President》，就曾提出這個「好用」的觀念。在二十一世

紀的新經濟時代，企業內當紅的專業經理人的一項特質就是「好用」，「好用」的人態度開放、不自我設限、專長多樣、學習力強、可塑性高、願意挑戰新事物，也願意以公司的需要爲己任，而不是只自滿於自我的期待。

「好用」的人在企業內的團隊作業尤其重要。當企業不斷追逐降低成本、提高效率並進行大規模的委外服務時，企業內的團隊成員減少，每一個人都是核心工作人力，因而多職能、多專長的人，就會是企業內受歡迎的當紅人才。相較於只有一項專長的工作者，如果你不是該項專長的最佳人選，很容易就會在組織重整中被犧牲、裁員。

在運動場上，「好用」的觀念十分常見——能鋒能衛的籃球員可能是最佳第六人，能守內野也能守外野的棒球選手，絕對是教練在組隊時的重要考量。因爲，這種好用的人選，在調度上是具有高度彈性的活棋，讓教練能有更大的空間補強核心的特殊專才。

專長的多樣，只是「好用」的條件之一，更重要的是態度。前面所說的例子，並不是這位主管的能力不足，而是她的態度不對。

「團隊優先」的態度，是新經濟考驗下的工作者必備的條件。九〇年代，講究「人性管理」、尊重個人的結果，產生了許多的後遺症，工作者的自我意識高漲，凡事講求「我喜不喜歡」、「我願不願意」，至於組織及團隊的需要是你家的事，這絕對與「好用」的原則違背，也是在企業不斷的組織重整中，優先會被淘汰的人。

想在不景氣中存活，請讓自己成爲「好用」的人。

後記：

這篇文章在網路上引起極大的討論，在不斷轉寄的過程中，附加了許多回應文章，許多人批評我的論點，當然也有人認同。

我始終沒有回應解釋，原因是組織的選才邏輯與個人的工作態度，不見得相同；個人不願成為好用的人，是個人的選擇，我們無從置喙，而我的看法充其量也只是「一種意見」，僅供參考罷了！

◎佚名人士觀點

基本上這是公司經營者的問題（指上文第一段女主管拒絕總經理臨時交辦業務一事），他在工作上安排一個專業人員，卻要求她執行一些與她的專業及工作內容完全不同的工作。這不但違背了當初這位經營者請這位主管來上班的主要用意，也充分顯示出這位經營者不懂得用人之道。當這位主管合理的拒絕該項工作時，事實上是希望經營者回去思考工作派任的適切性，及反省公司組織的潛在性問題。

這裡所提到的「好用」應該是員工的自我期許，每個人都應該努力的增加自己的能力，包括專業知識的增進，多樣化的專長等等。但別忘記所學除了滿足自己外，能在適當的職位上有所表現才有價值。

當一個經營者，除了瞭解專業技術外，還需要知道如何規畫整合相關技術及人力，有時還得面對客户及廠商，並且對財務規

畫、業務規畫、公司未來規畫有一定的能力，同時他在人力資源的任何安排都將對公司造成決定性的影響。

其實在企業中第一個會被裁員的就是「好用」的人，當一個人有多樣專長時，就表示每一樣專長你並不專精，就算你很行也沒有時間讓你把每一件事情都處理得很好，所以一旦當你的主管發現你「好用」而且開始用時，你就會漸漸掉入事情做不完的陷阱裡，所以你開始無法在主管交代的時間內完成事情，試問此時你的主管還會喜歡你，給你更多的機會嗎？

所以在自己分內的工作中努力成為一個「好用」的人才是重要的，並要適時的檢討工作的質與量。勇於說「不」，對於不合理的要求應該要勇於拒絕，且不接受不屬於自己的工作本來就是應當的，並沒有什麼不對。與其要求員工完全的配合，這位主管為何在分配工作時不能冷靜的思考一下該如何分配工作，問題不就迎刃而解。所以做主管的人不要把自己的責任轉嫁給員工，還大言不慚的批評員工的不是。

拿不景氣來威脅員工，真不知公司無法獲利的最大責任在經營者，一個無知的經營者會毀的不只是自己的公司，還會拖累所有員工的家庭。而往往最沒事的卻是資本家，反正投資的風險原本就在預期之中，他總是會在公司還有殘餘價值時退出，搞不好還小賺一筆。所以在諸位準備努力成為一個「好用」的員工前，仔細想想吧！

要在不景氣中存活，請成為一個「有用」的人，而不是「好用」的人。

（編按：希望此文的作者能與商周出版聯絡，以便當面致謝與致酬。）

31. 做大生意打小算盤

做每一件事，都需要精準的判斷，不論是殺雞用牛刀，還是殺牛用雞刀，都是好笑的事。只不過職場中充滿了這兩種錯誤的現象，如何跳脫錯誤，值得仔細推敲。

有一個利潤中心部門的主管，在執行一個新計畫時，申請了一筆龐大的預算。被我打了回票，他頗不以爲然，不斷的爲自己的行爲辯解：一、這個計畫，難度高、風險大，因此沒有充裕的預算莫辦。二、較諸同業最類似的事業時，同業的手筆更大，預算更多。三、公司做新事業要有決心，如果不編列足夠預算，代表公司沒決心，公司沒決心，如何讓同仁們下決心放手一搏。

他的說法，似乎完全無懈可擊，每個單一論點都是正確的，但問題在於這個新計畫規模太小，期望值太低！他放大了計畫難度，卻沒考慮到這其實只是個小生意，而小生意是不可能打大算盤、用大投資，慢慢準備、慢慢培養、慢慢調整、慢慢回收！

另一個主管正好相反，被賦予一個策略任務，執行一項新計畫。但他小心謹慎、仔細規畫、慢慢盤算，以至於在投標過程中，錯失良機，最後以極小金額的第二高標落選，整個計畫泡湯，公司的策略不得不調整。

這是另一個完全相反的案例，謹慎沒錯！錯在沒能理解這是公司關鍵的策略作為，在精打細算之後，應該知道此計畫其實有勢在必得的壓力，因而在精算的價格之外，應該用「想像力」出一個絕對有把握的價格！這是「做大生意，打小算盤」。

不論是「做小生意，打大算盤」或是「做大生意，打小算盤」，都是犯了策略思考的錯誤，用了不對的規格，用了不對的思考，當策略思考錯誤時，不論流程、方法、計算有多麼正確，最後都會錯誤。

做小生意，講究「快、狠、準」，機會稍縱即逝，由於規模小，變動大，就只能以快制快，以小搏大。沒有辦法用大生意緩緩而來，長期投資，慢慢調整的方式。做小生意就能打「小」算盤、打「精」算盤、打「快」算盤，就是不能打「慢」算盤、打「大」算盤。

至於策略性生意，需要較大投資的生意，當然精打細算絕對不能免，縝密的規畫更不能少，小心謹愼的態度更是必然。因爲事關重大，因爲牽涉公司的策略作爲，更影響公司的長期成敗。這個時候，「小算盤」的精打細算之外，更應該宏觀思考，用想像力從大局著眼，而不是斤斤計較於短期盈虧，不是著眼於一時投入的多寡，以免錯失投入時機，從此萬劫不復。

做爲專業經理人，小心謹愼、精打細算，絕對是永遠正確的態度。但是如果只有打「小算盤」的謹愼，永遠無法成爲獨當一面的高階經理人，因爲缺乏策略思考。反之，面對小生意、面對快速變動的機會，如果不能發揮「擺地攤」小販的機動、應變、快速搶錢的態度，一味要求公司要擺開陣仗、仔細規畫、充分投資、慢慢回收，這也絕對不能成就一個傑出的專業經理人。

後記：

在組織中，不論是打錯大算盤，還是打錯小算盤，都是常見的現象，但劇情和動機完全不一樣。

做大生意打小算盤，通常是格局不足、開創性不足，或者說就是

能力不足，所以才不敢放手去做，這時候公司損失的是機會、是少賺錢。

做小生意打大算盤，通常是工作者不負責任的表現，這種人寧可多要些資源，反正虧公司的，個人安全至上，這種狀況公司損失的是金錢、是淨虧損。我最不齒這種人。

32. 如何成爲學習型人才

不論能力多強，終有窮盡不足之處，要能應付各種環境變化，唯一的方法，就是與時俱進，隨時充電、隨時改變，成為一個「學習型人才」。

在中國大陸，我遭遇到全新的用人經驗，一個主管是國企中級主管出身，他的經驗是和諧至上，我用他來管理整個團隊，遇到任何衝突時，他也是不得罪任何人，「有理扁擔三，無理三扁擔」，結果組織變成是非不明、事理不分，一切事務都等待時間解決。爲了解決這個現象，我從大陸的外企挖來一個主管，他明快果決，一切問題簡化爲預算、執行、追蹤、考核、檢討，這當然是很合乎現代企業經營邏輯。問題是現有的組織根本缺乏制度，人才也不足，他需要有「穿著衣服改衣服」的應變與柔軟度，也需要一點一滴組建團隊，建立制度。

這兩個人都是我需要的人，但也各有缺失，都需要徹底調整。問題來了，他們的學習調整都非常慢，過去的經驗，單一且根深蒂固，環境一變，都陷入不適應的困難中。

這讓我想起組織的學習與人才的學習。在大陸以外的社會，社會多元、價值多元、組織多元，變動是常態，適應與調整是每一個人當然必備的能力。大多數人都能成爲一個「學習型的人才」，不僅固於一套經驗與想法，面對新環境，會學習新經驗、新方法，產生新能力，最終會與組織融爲一體，甚至會使組織慢慢改變、轉化成更有效率的組織。

這是一個好的人才與組織的正常關係。尤其是主管人才更是如此，從「和稀泥」開始，這是認同、理解與適應；接著是學習新方法與採取新對策。因爲你過去的經驗，未必適用於新環境，甚至新環境所需要的能力，也可能不是你已經熟悉或已經擁有，學習與轉化是人與組織最重要的互動。當然最後階段是主管改變了組織，當主管與組織融爲一體之後，主管可以訂定新制度、設立新規畫，從而改變組織、產生新文化。

這其中的關鍵就是「學習型人才」，一個人是否是「學習型人才」決定這個人的成敗、決定這個人的成長高度，決定這個人的一切。

學習型的人才來自兩個關鍵：一是態度、二是方法。態度又是其中的關鍵，態度決定了你是不是學習型人才。而方法只不過影響到學習與改變成長的速度。

態度又包括了許多事：（一）多元的價值觀；（二）對新鮮事物的好奇；（三）面對挑戰的喜悅。

多元的價值觀是一個人相信社會中有不同的面向、不同的事理、條條大路通羅馬，而不是只有一種眞理。尤其是組織與管理，並無絕對眞理，只要好用、有效率就是硬道理，沒有絕對的對錯，找到有效的方法就是對的。大陸的人才，比較起來是相對單一與一元化思考。

對新事物的好奇，則決定一個人面對變動的彈性。大多數人對好的變動有所期待，對壞的變動厭惡；問題是一切事物都會變好，也會變動，人只能應變。最好的態度是對變動有所期待、對新事物好奇、對一成不變討厭。這個態度會讓人迎向未來、探索新事物、產生新能力。

面對挑戰的喜悅則是每一個人跨越成長障礙的關鍵。人是在挑戰自我的極限成功之後，產生大幅成長；每一次挑戰，都代表未來格局與成就高度的升級。

如果你有以上三項，你就是一個「學習型人才」，你會喜歡改變，你會尋找新方法，你會快樂的迎向新挑戰。至於學習方法，會在每一次改變與學習中，逐漸

加速、逐漸熟練，完全不需要擔心。態度決定了你是不是一個「學習型人才」，也決定了你的一切！

後記：

小朋友經常告訴我，能力被搾乾了，要暫時停職，回學校充電一下。面對這種說法，我不完全認同，因為學習是anytime，anywhere，無時無刻不分地點都可學習，當然回到學校空間學習某一種特殊知識技能只是一種選擇而已！

一個真正的學習型人才，學習的空間無限大，興趣也無限大，當然也不受年齡限制，不斷自我改變、自我突破，豈只限於學校？

33. 對專業絕對忠誠

說到工作，只有兩種形式：專業與業餘，業餘的人，七手八腳；專業的人，絲絲入扣，訓練有素。在現代社會，要成功存活，追逐專業、擁有專業、謹守專業、對專業忠誠，是不二法門。

跟我工作過的一個小朋友，後來到一家外商公司做事，負責公司的財務。對忠誠的要求極高。有一次他的主管交代他去做一件「從權」的事。事情並不符合公司的內控規範，但嚴格說來，也未必絕對違法。這個小朋友琢磨了半天，要不要拒絕老闆的要求，但最後還是決定照辦了，原因是爲了不要給老闆難堪，而事情本身也是一件小事。以台灣人的觀點，給老闆方便，也算是好事一樁。

誰知道這是這家外商內部考核的過程，要考驗員工是否一切遵照標準作業流程辦事，也要考核員工的專業與忠誠。不幸這位小朋友沒能通過，在公司裡從此被打入冷宮，最後不得不離職。

聽完這個故事，我心中無限感慨。相同的劇情，我估計有百分之八十的台灣

工作者可能無法通過，原因是台灣人太注重人情，太缺乏法治，不講究專業，以至於是非不分、事理不明，太多的濫好人，太少的專業尊重。

另一個故事是，有一家家庭式的連鎖商店，在過年期間，有人拿了總公司主管名片，到其中一家分店，說是過年期間，情況特殊，要求店長交出現金，由他帶回總公司。分店店長不疑有他，竟然就同意讓他把現金帶走了，結果當然是個騙局。

聽起來有點好笑，這樣的騙術也能成功，憑一張名片，就能讓人交出現金。我不知道多少台灣的公司面對同樣的狀況，能夠全身而退？如果公司內有專業要求，工作者有專業訓練，而且對專業忠誠，用專業辦事，這個騙術是不會成功的；問題是台灣工作者的專業訓練夠嗎？工作者對專業的忠誠有嗎？還是講人情重於尊重體制，尊重專業。

台灣還是一個人治的社會，雖然在企業經營上，我們已經不斷的強調系統，建立制度，建立規範，落實流程控管。但是每個人內心對專業、對制度的尊重是

不夠的，尤其是面對同事、面對熟人，我們還是儘管給人方便，不在乎這是傷害制度、放棄自己的專業，甚至認爲這是一種美德。

太講究人際關係是中國人的特色，強調人與人的相處、互動，講情理、不講法治。這是爲什麼我懷疑百分之八十的工作者，通不過外商的忠誠考驗的原因。

追本溯源，工作者要具備的是專業，專業的工作方法、專業的工作態度、專業的工作倫理、專業的工作判斷。在專業面前，不會因爲是老闆而給予方便，不會因爲是同事，而放棄堅持。更不會聽老闆的風向、看老闆的眼色。更不會有「爲五斗米折腰」，這種似是而非的言論。因爲只要你不是對專業忠誠、對制度忠誠，你會丟掉工作，你汙衊了工作倫理，台灣工作者的專業主義絕對需要徹底再教育。

後記：

❶ 有人問我，到底專業是什麼？

我嘗試回答：對所做的事，以追根究柢的精神，仔細研究，並拆解成標準化的步驟與流程，再經過不斷的反覆練習，形

成反射神經記憶，務期做到每一次執行都得到一致的成果。簡言之，就是最佳化、標準化、熟練化以及成果一致化。這指的是具體的工作流程與方法。除此之外，專業也有心靈層面，那就是專業精神與專業倫理。

---

❷ 中國人說：「為五斗米折腰」，指的是犧牲自己的原則。但如果是為五斗米放棄專業的堅持，風險就很大。尤其是財務人員，如果配合老闆做帳，可能換來牢獄之災。至於其他的職位，風險雖然沒有財務人員大，但也有專業倫理，那要堅持的是一個人的原則、道德與風骨。

34. 你有解決問題的能力嗎？

誰是組織中最需要的人才？做大家都能做的事，還是解決最困難的事？真正的人才，不論工作多難、多苦、多複雜、多危險，都能勇敢挺身而出，而且也有能力完成解決！

如果有人問你：你有解決問題的能力嗎？相信沒有人會回答：沒有。我當然有解決問題的能力，否則我怎能在職場上工作？這是每一個人共同的答案。

可是我的答案稍有不同，每個人都有解決問題的能力，但眞正處境艱難、造次顚沛之際，就不見得每一個人都有這種能力了。

根據我的經驗，一個眞正具有解決問題能力的人，不論你把什麼事交給他，他大部分時候都能把事情辦成，不論這些事情有多困難！

而這些困難的事，又可以分爲幾個不同狀況：（一）看起來瘋狂，或者在大多數人的眼中，這根本是不可能的任務。（二）一般的任務，但要求的標準超高，超乎一般的平均水準很多。（三）沒有足夠的權力，其他單位又不配合下，

又要完成需要其他單位配合才能完成的事。（四）沒有前例可循，全新的任務。（五）難度不高，但工作繁雜、分量極大、無趣又艱苦的工作。以上這幾項如果你都能處理，才是眞正有解決問題能力的人。

第一種狀況是夢想家的能力，有想像力、不怕事、不自我設限，遇到不可能的任務，就當做是挑戰，全力以赴，瀟灑走一回。還是有相當的比例能完成，就算不能完成，自己在過程中，也得到全新的經驗。

第二種狀況，是自我要求很高的人的能力。雖然一般人的水準做不到，但「We are the best」，所以我們做得到。這種人絕對不會告訴你，別的單位如何，別人只能做到什麼程度，因此長官你的要求不合理。

第三種狀況，是辦公室最常見的狀況，你的任務需要許多單位配合，但他們又忙於原有工作，或本位主義很高，不願配合。處理這種狀況需溝通協調的手腕再加上毅力，想盡各種方法，在沒有上層權力支持下完成、解決。遇到這種狀況，大多數人會兩手一攤，我又不能命令別人，別人不配合，我當然無法完成，再不然就求助長官，要長官下命令。問題是，長官就是因爲有困難，才會讓你處在左右爲難的情境，他指望的就是你能用「智慧」解決，用權力是無法解決的。

第四種狀況是沒路找到路的能力，這種人常具有冒險精神、勇於嘗試，對新鮮事物具有探索及找到方法的能力。

第五種狀況，也是組織常見的情形，通常是苦力型工作，多數人不願做，因此日積月累，最後變成辦公室的死角，是人人避之唯恐不及的事。處理這種事，用的是決心、毅力、耐性與務實，這是「阿信」的能力。

有這五種能力，才是眞正有解決問題能力的人。問題是大多數人不是這種人，是常人。而能解決問題的人是稀有動物。辦公室多的是有知識、懂道理，但只會動嘴巴，發言盈庭，但不能解決問題的人。想一想，你是哪一種人？

後記：

我常問同事：你認為自己是傑出的人才嗎？

不論他回答是或不是，我都會告訴他，你一定要是傑出的人才，我們公司不要二等工作者。

老實說：能力可以慢慢培養，但態度上自我期待一定要高，「We are the best!」有心就能成就一流人才。

35. 突破自己的能力極限

沒有人天生英明神武，也沒有人生來就聰明絕頂，所有的能力都是一點一滴慢慢培養。關鍵在於每一個人是否有計畫的一步一步自我訓練、自我突破、自我調整。

出版是一件有趣的事，經常都會遇見全新的工作經驗，而每一次新經驗，都代表自己在挑戰未知，測試自己的能力極限。

新書的投標就是典型的自我挑戰過程。記得剛開始時，我只敢、也只能用最低的預付金出價，因爲我的出版能力不足，不敢出高價搶標。但隨著經驗的增加，我的投標金也水漲船高，從一、二千美元，到三、五千美元，到一萬美元。記得我第一次投標超過一萬美元之時，我十分興奮，我告訴自己，這本書絕對不能做輸，我要證明我有做萬元美元大書的能力。

接著，我又從一萬美元，到三、五萬美元，到十萬美元，現在我最高的經驗是近二十萬美元。一本書要付到二十萬美元的權利金，這代表這本書如果沒有賣

到六萬本以上，我就要賠錢，而以台灣這麼小的市場，二十萬美元的預付版稅，這絕對是天價。

當然經過這些歷練，三、五萬美元對我變成「家常小菜」，輕鬆愉快！我知道人的成長與學習，是在不斷自我挑戰、自我突破中，能力的極限不斷擴大，視野、企圖也不斷延伸。

我也要求自己的團隊，複製我的經驗。我要求他們也要不斷擴張他們的能力極限。但並不順利。遇到大書，要拉高投標金，要擴大工作規格，他們願意出的投標金額，總比我的想像差很多。我知道，他們信心不足，自我挑戰的企圖不夠。

我不願揠苗助長，我讓他們按他們的想像出價，但經常失之交臂，對手們的氣派、想像力總比我們豐富。拿不到大書，這是我讓團隊自由成長的代價。

我曾經嘗試，要求某些高級主管，每年至少要買一本預付五萬美元的大書。可是他們面有難色，問我：「何先生，你要我故意拉高預付，達到你的標準，卻讓公司損失吧！」我無言以對。

我仔細回想，他們遇到大書，投標金超過幾萬美元時的情境：他們感受到的

是壓力、是困惑；而投標失利時，反而是輕鬆、是解脫。做能力以內的事，他們應付自如；超過他們能力極限，他們害怕，他們躊躇不前！

我回想自己的成長歷程，當每一次遇到挑戰、面臨超過我經驗值的事時，我知道我退無可退，做了過河卒子，只能勇敢向前，那頗有狗急跳牆的味道，但也因爲如此，我打起精神、全力以赴，也就關關難過關關過，我的能力極限不斷擴大成長。

在學習成長的初期，我的挑戰、我面臨的困難，都是老闆逼的、都是老闆命令的，我無法拒絕。但後來，我逐漸知道，我可以的，不用怕，於是我開始習慣挑戰，習慣不斷自我測試能力的極限，甚至對沒有難度的事，興味索然。

我應該這麼說，能力是挑戰出來的。每一段時間就要設立一個更高的目標，讓自己陷入困難，然後全力以赴完成。每一次的挑戰，都是成長的機會，遇到超過能力以外的事，應該興奮、要高興，那是人生最關鍵的時刻！

後記：

每一個人的成長，都有兩股力量，一是內心，自我的期待；一是外力的壓迫。這兩者相互為用，重點是自己要願意承受挑戰，否則會崩潰。

好公司、好主管通常都會塑造一個高度挑戰的環境，迫使每一個人不斷突破自己的極限。

一個傑出的人才，更不會以現況滿足，你是不斷面對極限挑戰的人嗎？

36. 該低頭時就低頭

古老的話語，告訴我們做人處世要「外圓內方」，現代的話語是「柔軟度」，面對各種環境的變化，如何因時因地制宜，採取最合適的手段，不堅持己見，不堅持面子，一切以大局為重，姿態柔軟，才能得道多助。

我永遠忘不了二十幾年前的那一幕：在經濟部的一個小科長辦公室，那時我還是記者，正在和這位科長聊某一個新聞，從外面闖進來一位西裝筆挺的人，老遠就朝這位科長立正敬禮，嘴上說著「科長好！」耳裡還傳來他雙腳併攏立正時，皮鞋互撞的響聲，顯然那是極標準的立正禮。

我幾乎不敢相信我的眼睛，這個人正是當年叱吒風雲的黃豆飼料大王，我印象中都是他意氣風發、不可一世的樣子。但那一天卻恭恭敬敬的來向小科長報告事情。事後我知道，他的生意遇到困難，需要這位科長幫忙。他用最謙卑的姿態，表示最大的敬意。他的柔軟度，讓我這個旁觀者嚇了一大跳。

我也還記得另一幕：張忠謀剛回國創辦台積電時，有一次採訪他，問了一些

與採訪主題無關但敏感的問題，他十分生氣，站起來掉頭離開，我們一時不知如何是好。但沒幾分鐘後，他回來了，除了表示抱歉之外，當天幾乎知無不言、言無不盡，採訪十分順利。這是我見過的另一個大老闆的情緒管理與柔軟度。

一個主管向我抱怨，某一個客戶有多「機車」，是標準的「澳洲」客人。他告訴我的目的，是準備把這位客戶列爲拒絕往來戶，希望我諒解。這個客戶我十分瞭解，也確實十分不講理、脾氣不佳。但是生意還算單純，其實你只要多講幾句好話，摸順了他的毛，生意並不難做。

我很清楚問題不在這個客戶，因爲客戶有講理的嗎？你要做他的生意，當然要摸順人家的脾氣。問題在這個主管也是個槓子頭，十分「正直」，他認爲他對，絕對不肯妥協，問題是大多數時候，他所堅持的事，並不是是非對錯的問題，只不過是他個人感覺不好。當然有時也會遇到別人眞的有錯，他更暴跳如雷。

這樣的年輕人，我看得太多了，包括我自己在內，都曾經如此「正直不阿」，稜角分明，年輕時，我經常堅持自己的「道理」（其實是感覺），遇到不合自己意的事，絕不妥協，我不懂圓融，甚至認爲圓融就是鄉愿、就是沒有原則。一直到遇見許許多多類似黃豆飼料大王以及張忠謀的故事，我慢慢瞭解，收起自己的稜

角、收起自己的個性，不要計較小是小非，你會得到人和，會得到幫助。

這就是柔軟度。人生的許多情境是無法講道理的。譬如說，有求於人時，生意的本質就是有求於人，求人時當然需要柔軟度，當然需要「以客爲尊」，客戶永遠是對的，如果客戶是錯的，一定是我做錯了什麼事，讓他生氣，因此擺平他、讓他不生氣，就是我的責任。因爲只要他不生氣，我就會得到生意、得到好處。

柔軟度是待人處世的外在界面，而正直則是每個人心中對大是大非的堅持。外在界面溫和，會好相處、會有人緣、會有許多朋友、會減少許多爭執。人生的大多數時候，只是互相感覺良好，而柔軟度就是感覺良好的潤滑劑！

後記：

寫這篇故事，其實十分違反自己的個性，我是個槓子頭，一向以直道而行自豪，但歷經工作及經營的考驗之後，我知道一定程度的妥協是必要的。

後來我進一步知道柔軟度，其實並不是犧牲原則，有時候還需要有更大的胸襟與氣度，才能成全大我。

Chapter 4

自慢的職場關係

假設自己就是老闆，

義無反顧、全力以赴、相信公司、認同老闆，

變成老闆的好夥伴，成為公司的核心團隊，

我撐起公司的半邊天，為什麼要怕老闆？

一身本事賣給帝王家，這是封建時代的想法，現在則是一身本事賣給公司、服務老闆。領公司薪水，聽老闆命令，大多數的工作者，伴君如伴虎，小心謹慎的面對公司、面對老闆。

很奇怪的，我從第一個工作開始，和公司之間就沒有任何隔閡，我全力以赴的工作，就好像公司是我的；我不覺得老闆、長官有多偉大，我認為他們只是一個工作夥伴，只是演的角色不一樣。因此，我不需要刻意承歡，也不需要看他們臉色，因為我和他們一樣，熱愛公司、全力工作，大家是平等的。

或許我是一個怪胎，並不是每一個工作者都和我一樣，但我確定我這一套邏輯、這一套做法是好的，因為我工作得有成就、被肯定，永遠是公司的主流派：工作得十分快樂，有自己的空間、有自己的想法，不需要看任何人的臉色，做自己想做的事，說自己相信的話，我、快樂做自己！

我的邏輯是什麼？假設自己就是老闆，義無反顧、全力以赴、相信公司、認同老闆，變成老闆的好夥伴，成為公司的核心團隊，我撐起公司的半邊天，為什麼要怕老闆？

37. 如果這是你的公司……

絕不替我不喜歡的公司工作，一旦公司的文化、氛圍、理念不是我能認同的，我會掉頭就走，找一個我認同的組織去工作。

但只要我留下來，我一定保持良好的關係，絕不與公司為敵，甚至把公司視為我自己的公司，全力投入，這樣工作才會愉快，工作才會有成就感。

一個老朋友談起當年他的經驗：當時他擔任一家公司的業務經理，爲了一個新產品上市，他提了數千萬元的行銷計畫，這是氣派恢宏的規畫。他的老闆看到計畫後，找他來面談，只問了兩句話：「如果這是你的公司，你會這樣做嗎？」他從來沒有想過這個問題，於是收回計畫，仔細研究，最後仍然沒有把握，於是放棄這個大計畫。

另一個故事是以推行僕人領導知名的美國西南航空，有一年西南航空的CEO賀伯．凱勒赫（Herb Kelleher）寄出一份備忘錄給員工，告訴員工當季公司的營

運不佳，可能會賠錢，希望所有的員工，不論是機長、空服員及地勤人員，每天每個人都能省下五美元。賀伯在信後署名「愛你們的LUV（西南航空）」。

結果西南航空在那一季營運成本降低了百分之五點六，公司轉虧爲盈。

這兩個故事都訴說了員工與公司關係的最高境界：把公司視爲自己的公司，去呵護、去照顧、去奉獻。

或許以現在緊張的勞資關係來看，如此愛護公司，聽起來像笑話。問題是，你可以不愛公司，但如果公司營運不佳，發不出薪水，或者發不出好的工作獎金，對工作者有什麼好處？

我一貫的工作邏輯是，我絕不替我不喜歡的公司工作，一旦公司的文化、氛圍、理念不是我能認同的，我會掉頭就走，找一個我認同的組織去工作。但只要我留下來，我一定保持良好的關係，絕不與公司爲敵，甚至把公司視爲我自己的公司，全力投入，這樣工作才會愉快，工作才會有成就感。

這是爲什麼當聽到第一個故事，我感同身受，不論我的職位是什麼，把公司視爲自己的，做任何事，我會反覆思索，是不是正確的決定？是不是對公司有益

處？是不是會爲公司帶來傷害？

我無意要當老闆的一〇一忠狗，也並不是希望在組織中升官發財，只不過這樣的態度比較簡單，既然同樣是做事，就務期把事情做到最好，用最少的投入，得到最大的成果。而且這是我認同的，不是想得到長官關愛的眼神，不是想得到物質的獎賞，只是因爲我想要做好，而做好就是公司最大的利益。當然要有這樣的認同，最簡單的方法，就是假設自己是老闆，公司是我的。

久而久之，這種態度讓我得到最大的回報，通常我會變組織中的主流，得到最大的肯定與機會，而就算沒有回報，我也不會哀怨，因爲我是心甘情願，一無所求。

不過，眞正的好處並不是在打工時得到，而是事後在創業時，我發覺創業對我來說，沒有任何心情上的調適，沒有任何障礙，因爲我早已用老闆的心情在工作，一切要爲自己負責，創業一切順理成章。

假設自己是老闆，假設公司是自己的，是自信、自主、自立、成就自我的第一步。

後記：

這篇文章，讓我成為老闆的打手，我被認為是老闆的同路人，替老闆來洗員工的腦，讓員工心甘情願的替老闆打工。

我不想解釋，因為在我的一生中，大多數的時間，我都不是老闆，我是以經理人的身分執行業務，但我心中的確有創業的想望，因此我很習慣無怨無悔的為公司投入，就好像我是老闆一樣，這是我一廂情願的思考，也是我成為老闆前的自我模擬、自我學習過程。

38. 我確定公司不是我的……

要讓員工對公司有向心力、全心奉獻、把公司視為自己的，除了老闆要以身作則外，還要有許多條件配合才能做得到。這就是「與公司一起」的感覺。如果工作者感覺到公司的善意、老闆的關心，感覺到公司的成長與自己的努力息息相關時，他就會把自己當成是公司大家庭的一分子，處處以公司為念了。

一個知名的老闆碰到我，很客氣的告訴我：「何先生，你寫的那一篇〈假如公司是我的……〉眞是太好了，我影印了許多張發給每一個員工看。」聽了這句話，我一身冷汗，不知怎麼回答他。

有位讀者寫了封e-mail給我，標題是「我確定公司不是我的」。這位讀者告訴我：我很想替公司好好做事，但公司從來不愛護我們，主管常做一些很笨的事，讓我們心灰意冷，請問我們如何「假設公司是我的」，爲公司努力做事呢？

任何一個組織，都是互動的生態，老闆仁慈，則員工善良；老闆節儉，則員工節省；老闆貪婪，則員工貪污。君子之德，風；小人之德，草，風吹到草偃，老闆的一舉一動影響整個組織的風氣，如果員工不從組織的最大利益著想，做了傷害公司利益的事，大部分原因很可能是老闆的問題，真正該檢討的是老闆。

台灣首富郭台銘，節儉成習，他的辦公室就像舊工廠的廠長房間，原因無他，他知道如果他奢華，整個組織會跟著奢華，代工生意微薄的毛利根本無法負擔，所以貴為首富，上班的環境，儉樸到不行。

這只是一個例子，員工是老闆的鏡子，鏡中的員工，其實是老闆的寫照，如果你期待員工處處以公司利益為念，就好像公司是自己的，那首先要問的是，老闆你做了什麼，是不是你也這樣做？

要讓員工全力貢獻，把公司視為自己的，老闆以身作則只是開始，還要有許多條件配合才做得到，其中最重要的是「與公司一起」的感覺，如果工作者感覺到公司的善意、感覺到老闆的關心，感覺到公司的成長與自己的努力息息相關，感覺到自己是公司大家庭的一分子，他當然會處處以公司為念，為公司做所有該做的事。

問題是這種感覺，很少公司做得到，因爲只有成員在三十人以下的小公司，才有可能塑造這樣的情境，公司小、成員少，雞犬相聞，老闆的好人人看得見、摸得著；公司的好，人人感受得到，人人也會因而得到好處。小公司只要老闆「春風化雨」，「We are family」的情境就顯現了，我當然能假設公司是自己的。

超過三十人以上的公司，要塑造「假如公司是我的」的情境，還要有其他的外在配合才可以，第一是回饋機制的制定，第二是明確的績效評估與追蹤考核。

大公司的員工，每個人都只是螺絲釘，大家都只是討口飯吃，沒有人會笨到把公司當自己的來想。全力投入的要件通常來自明確回饋機制，如果努力會得到獎賞，自然會激發員工投入，這是最基本的激勵原理。

這是淺顯的道理，但許多公司的回饋機制太模糊、太虛無縹緲，例如：以公司最終的財務指標做回饋標準，通常工作者感受不到公司的誠意，因爲「個人的努力」與「公司的營運成果」之間的連結太不明確，因此回饋機制的設計，只能連結「單位的績效」，這樣員工的投入才會具體。員工才有機會感受「我的投入」→「單位的績效」→「我的回饋可能」，工作態度才會改變。

至於明確的績效評估與追蹤考核，是讓全體工作者無所遁形，形成組織公評

的壓力，也連結明確的獎懲制度。這是超過三十人以上的公司不能或缺的設計。

不過，不論如何，我還是要說：如果老闆期待員工能「假設公司是自己的」，這是不現實的，不論老闆做了什麼事，某些關鍵時候，個人與組織的矛盾永遠存在。「假設公司是我的」只適合工作者自我要求、自我期許，要「善盡善良管理人之責任」，要「受人之託，忠人之事」，老闆講這樣的話，只會讓人覺得角色錯亂。

後記：

只有笨老闆才會要求員工以公司為重，假設公司是自己的。因為這種情境是員工體會到公司的善意之後，自動形成的想法，只能自然形成，無法訓練，也不宜要求。

這好像人與人相愛，你如果夠好，另一半就會愛你；主動要求別人愛你是做不到的。

39. 相信公司、認同老闆，否則……

老闆創造了公司，訂定了遊戲規則，所有的工作者要在那裡工作，那就依循老闆的規則，抱怨是沒有用的，什麼都不會改變，相信公司、認同老闆的邏輯，是工作者唯一能做的事，否則你每天都會活在痛苦及挫折中。

我的媒體生涯，從一家非常大的公司開始。這個老闆是個傑出報人，因爲老闆傑出，公司就充滿了人治色彩。如果老闆欣賞你，你會獲得完全不一樣的待遇。但也因爲如此，整個公司的工作者都在期待老闆關愛的眼神，而一旦期待落空，難免就抱怨四起，許多人認爲公司缺乏制度，不夠透明公平，公司裡隨時都充滿了哀怨的人。

那時的我，身處基層，輪不到老闆的關愛，也就沒有抱怨。但更重要的原因是，我在那裡工作，要的是空間和舞台，讓我學習歷練經營媒體所有的本事，我完全不在乎老闆欣不欣賞我，當然也就不會有抱怨。

可是在那一段時間，我也認知到一個事實：老闆創造了公司，訂定了遊戲規則（人治也是一種規則），所有的工作者要在那裡工作，那就依循老闆的規則，抱怨是沒有用的，什麼都不會改變，相信公司、認同老闆的邏輯，是工作者唯一能做的事，否則你每天都會活在痛苦及挫折中。

當然，你也可以選擇離開，尋找另一個你喜歡的公司，你認同的體制與和你邏輯一致的老闆。我最後也就離開了，走上創業之路。但我也永遠學會了相信公司、認同老闆的工作認知，這是工作者在位一天，就做一天和尚敲一天鐘的工作態度，絕對不要與公司作對，不要與老闆爲敵。

可是在我創業之後，當老闆的日子，我發覺擁有這樣工作態度的人，眞是鳳毛麟角。大多數的工作者，從來沒有停止抱怨、批評。剛開始，我痛苦不堪，這一切都是我的錯，都是公司的錯，員工抱怨有理。組織應該調整腳步，留住每一個工作者。

但結果我失敗了，因爲我發覺公司是一樣米養百樣人，我努力改變的結果是「順了姑意、逆了嫂意」，我不可能讓每一個工作者都滿意的。

最後，我決定用自己的邏輯，訂自己的規則，然後吸引一群和我想法一致人，組成我們的核心團隊，這或許就是「組織文化」吧。至於那些想法和「組織文化」不一致的人，我只能祝福他們，任由他們尋找自己的桃花源。老實說，我從來不敢說他們是錯的，因爲他們只是和我的意見不一樣，而我很可能是錯的。如果我是錯的，時間會讓我的公司衰亡，而他們離開我當然就是正確的抉擇。

我相信每一個公司、每一個組織，擁有一套不一樣的邏輯與環境，如果這個組織的邏輯是對的，這個公司就會欣欣向榮，而所有的工作者有權選擇你喜歡的組織，有權決定你自己的去留。但是只要你選擇留下，就請你相信公司、認同老闆，不要與公司站在敵對的態度。這並不是對公司不能有意見，其實所有的人都分得出「善意的意見」與「惡意的批判」，每個人的態度決定了一切！

如果我不相信公司、不認同老闆，我會揮揮衣袖離開，讓時間證明我的選擇對不對，連抱怨都嫌多餘！

後記：

人一生的成就，是個人的成長，再加上組織的成長。離開公司，個人的成長有限，因此我期待我所有的投入都能轉化為組織的成長，我和公司、組織是一體的，我不希望我與公司之間有矛盾、有衝突，所以我採取了認同公司、相信老闆的策略，那種一家人的感覺很好，也讓我得到最大的成就。

40. 擁有公司的感覺

第一個層次是老闆，如何建立一個公開、透明及回饋的組織，讓員工能感受「擁有公司的感覺」；進而願意積極投入，全力以赴。

第二個層次是工作者，不論老闆提供的是什麼樣的環境，都應該主動積極的以公司為重，自認為是老闆，全力以赴。這個話題不該陷入「雞生蛋、蛋生雞」的辯論，如果從工作者生涯發展的角度來看！「擁有公司的感覺」與「自以為是老闆」，恐怕是最正確，對個人最有利的工作態度。

全世界石油業表現最好的公司——英國石油總裁布洛恩（John Browne），在接受《哈佛商業評論》（HBR）訪問時，談到英國石油員工及組織的一項特質：員工具有「擁有這家公司的感覺」，因此員工的動機強，知道自己該做什麼。（《全球化競爭優勢》，商周出版）

這句話令人驚艷，可謂成功企業的最高境界。試想：老闆當然願爲公司無怨無悔付出，可是若全公司都像老闆一樣，全力投入，無怨無悔，這公司會有多可

怕？力量會有多大？這個境界又如何做到？

其實這可分兩方面探討：第一個層次是老闆，如何建立一個公開、透明及回饋的組織，讓員工能感受「擁有公司的感覺」；進而願意積極投入，全力以赴。第二個層次是工作者，不論老闆提供的是什麼樣的環境，都應該主動積極的以公司為重，自認為是老闆，全力以赴。這個話題不該陷入「雞生蛋、蛋生雞」的辯論，如果從工作者生涯發展的角度來看！「擁有公司的感覺」與「自以為是老闆」，恐怕是最正確，對個人最有利的工作態度。

不論公司組織是否完善、老闆是否英明與善良，工作者的命運都與公司息息相關，任何公司都是績效良好者升官、加薪，因此被動的以邊緣工作者自期，等因奉此，結果肯定在組織中邊緣化，淪為不被重視、沒有生產力的一群。公司業務正常時，勉強成為聊備一格，可有可無的工作者；一旦公司有任何風吹草動，當然優先被資遣。

因此不論公司是否體恤員工，願意和工作者分享成果，工作者都應該積極的加入「主流工作團隊」，用老闆的心情工作、用老闆的態度解決困難、創造績效，

這種「擁有公司的感覺」是工作者最正確的態度。

或許有人會說：用擁有公司的感覺努力工作，最後還不是老闆賺到，他也不會分給我們。這可能是事實，但是積極投入工作的另一個好處是工作者會學到經驗、學到能力，視野廣闊，歷練豐富，這些是邊緣工作者永遠都得不到的東西。我們也可以相信，只要自己的能力增強，未來的生涯是無可限量的。

身爲工作者，消極、被動的態度，只會讓自己邊緣化、無能化、懶散化。不如積極的「擁有公司的感覺」，想像自己是個老闆吧！

後記：

在我沒有創業之前，我幻想自己擁有公司，我全心全意投入工作，一點都不留力，理由很簡單，我在學習如何做老闆，學習用老闆的心情想事情，因為我有一天一定要當老闆。

或許有人會質疑，我又不想創業，學習當老闆要幹嘛？我說全力投入工作，還有另一個好處，那就是「拿別人的薪水，學自己的本事」，做越多，學越多，成就就是肯定！

41. 向上管理三訣竅

第一個訣竅是態度；態度指的是「用老闆、用組織的邏輯做事」，而不是用自己的想法、態度做事。

第二個訣竅是過程；每一項工作，總有清楚的部分也有模糊的地帶，清楚的部分你沒有困難，模糊卻是危機所在，可能不相干的事，會由模糊界面攬到你身上；也可能產生你完全無法預測與掌握的情境。

第三個訣竅是做法；「適時的主動出牌」，認清適合或你有興趣的工作，或者要主動提出不同的想法，測試老闆的態度，讓老闆知道你是有想法、想做事的人。

理論上，管理是上位者對下位者爲遂行組織目的，所施行之作爲；對平行者，謂之溝通、協調，對上位者，只能被動的接受指令。

這是一般的想法，但是組織成員如果被動的接受這種組織行爲的宿命，在現在複雜多變、競爭激烈的組織中，顯然是不夠的，應該有更積極的作法，才能化

被動為主動，工作得更愉快，更有效率，成果更佳。「向上管理」就是工作者必須具備和學會的技巧。

如何管理老闆，讓老闆用對你有利的規則來指揮你，這就是「向上管理」。要學會向上管理，又有態度、過程與做法三大訣竅，必須搞清楚。

第一個訣竅是態度；態度指的是「用老闆、用組織的邏輯做事」，而不是用自己的想法、態度做事。工作者最常犯的最大毛病，就是一廂情願的用自己的觀點、自己的想法、自己的邏輯做事；不幸的是個人的邏輯與觀點，往往與組織的邏輯不相對稱，結果是下場悲慘。

你最應該知道的是老闆在想什麼？老闆要往哪裡去？你也應該知道組織在想什麼？組織要往哪裡去？這是你在組織中被認同與重用的原因。老闆積極，你消極不得，老闆保守，你積極也沒有用。

老闆要業績，你就給業績，給不了業績，你就談可以讓業績成長的方法與可能。至少要畫出一個業績成長的時間表，否則你在老闆與組織眼中，永遠是個不長進的怪物。

第二個訣竅是過程；每一項工作，總有清楚的部分也有模糊的地帶，清楚的部分你沒有困難，模糊卻是危機所在，可能不相干的事，會由模糊界面攬到你身上；也可能產生你完全無法預測與掌握的情境。藉由溝通、案例，消除工作中的「麥克馬洪」線，讓你工作的疆界清楚，這是你管理老闆絕對必要的過程，千萬不要讓老闆心中對你工作有模糊、不清楚的認知。

向上管理的第三個訣竅是做法：「適時的主動出牌」，不要等老闆出牌。例行的工作，是必要的罪惡，例行的工作再忙，不會累積你的績效，只有特殊的任務，會讓別人印象深刻，而老闆就是那個會不定時指派特殊任務的人。千萬要主動出招，認清適合或你有興趣的工作，或者要主動提出不同的想法，測試老闆的態度，讓老闆知道你是有想法、想做事的人。

如果只是被動的防守與接招，老闆的飛鏢不知道從哪裡射出來，十之八九都是會漏接的。

向上管理，是大多數的工作者不曾思考的空間，從今天起開始管理你的老闆吧！

後記：

老闆代表權威、代表尊敬、代表你要聽命辦事，這些都是傳統的觀念。但老闆也代表了他可以決定你的命運，如果他不英明，將帥無能，會累死三軍，因此不能任由老闆為所欲為，他做錯事，要規勸；他下錯指令，要阻止，而實在阻止不了，那就要遠走高飛。

42. 老闆有講理的嗎？

企業經營由老闆指揮大局，有挑戰不可能、有強渡關山、有要在石頭中擠出水來的意志與情境。在關鍵時候，老闆能講理嗎？講理的老闆，有時候只會看到他的無能、無為與軟弱。

老闆如果沒有不講理的狠勁與殺氣，那組織只能坐以待斃。

一個小朋友在工作上遭遇挫折，找我聊天，尋求解答。他告訴我，他的老闆毫不講理，採取了近乎「一刀切」的方式，要求他自己解決某一個困難。而根據他的分析：一、這個困難的根源是公司營運結構的問題，非他的層次所能解決。二、如要他解決也可以，公司要提撥必要的預算，但他的老闆並不肯給預算。

這個小朋友一方面苦思無解，一方面則十分生氣，氣怎麼有這麼不講理的老闆，也氣整個組織中，竟沒有人敢講眞話，指出老闆的不講理，讓他一個人孤軍奮戰。

我聽了大笑不止。我問他：你看過講理的老闆嗎？我從來沒見過，因爲根據

我的經驗，如果老闆很講理，他絕對是優柔寡斷，事不能成的老闆。

在成功嶺上，我學到最令我一輩子深刻的話就是：合理的要求是訓練，不合理的要求是磨練。而鋼鐵般的軍人絕對是磨練出來的。

企業經營亦復如此，老闆指揮大局，有挑戰不可能、有強渡關山、有要在石頭中擠出水來的意志與情境。在關鍵時候，老闆能講理嗎？講理的老闆，有時候只會看到他的無能、無爲與軟弱。

我自己的經驗是，我申請一億的預算，很可能我只得到八千萬，老闆打折扣理所當然。而精明的專業經理人早就會把折扣數外加，等著老闆打折，但是我也碰過更「天威難測」的老闆。我已經高估了兩成的預算，但誰知道這個「完全不講理」的老闆卻將我的預算，攔腰一砍，再對折優待，我得到是二五折的預算。當時我的反應就和這位小朋友一樣：生氣、無助，甚至想拍桌子走人。

但最後我選擇接受，在不得已的狀況下，我用盡了所有的方法，包括可行與不可行，甚至還不得不險中求勝，最後的結果，在一點運氣的加持下，我也用二五折的預算，完成了那個不合常情、常理的任務。

事後，我更尊敬我的老闆了，要不是他「天威難測」，要不是他完全不講理，要不是他「一刀切」，我不可能完成這件事，事前覺得不可能，過程中危機重重，不時峰迴路轉，但事後讓我一輩子回味，我的能力也在這件事以後倍增。這些都是拜老闆不講理之賜。

從此以後，我知道老闆有一個被所有員工咒罵的特質，那就是不講理。一般而言，一般的情境，老闆會是講理的，按計畫、按分析做事。但是企業經營經常會面臨不可能的處境，經常會面臨意外，經營會面臨挑戰，在非常的狀況下，講理就不夠用了。這個時候，老闆如果沒有不講理的狠勁與殺氣，那組織只能坐以待斃。

老闆可以有不講理的時候，但前提是在平常要講理，否則時時刻刻不講理，那就是瘋子，瘋子是不會有人理你的！

後記：

我們不能不承認，老闆通常能力比你強，因而產生了判斷與思考的落差，老闆氣派恢宏，我們小鼻子、小眼睛，這個時候老闆的

判斷與要求，在我們看來就會變成不講理的要求，是不可能達成的任務。

大多數人遇到這種狀況，用了太多的時間來罵老闆，用了太少的時間來思考、解決問題。我直接接受老闆的不講理，因為那是我快速追趕老闆能力的方法。

如果有笨老闆，用這個理由來合理化所有不講理的行為，那是自掘墳墓，眾叛親離不遠矣！

43. 要五毛，給一塊

傑克·威爾許說：員工對老闆要over deliver，就是永遠要做比老闆要求的更多，這樣自己就學到更多，也會讓老闆更聰明……。

一個小朋友辭職，因他的表現良好，辭職令我意外，於是約來一談。他告訴我，他每天都處在高度的壓力下，每天被工作、被主管的要求，壓得喘不過氣來。他感覺就好像背後有一個大的巨輪，不斷的向他逼進。他被迫不得不快速前進，可是稍一不慎，步調稍慢，巨輪就從他身上壓過，幾乎每個月就要被壓扁一次，這樣的工作壓力太大，他承受不了，只好逃離！

我告訴他，我覺得他表現不錯。他苦笑說，那都是勉強出來的，長期實在痛苦不堪，他覺得趕不上公司、組織與主管的要求！

聽了他的說法，我十分遺憾。因爲從能力、從學歷、從工作結果來看，他都是好的同事，都是值得培養的新秀，但是他自己走不出心中的魔障，缺乏正確的認知，以至於陷落工作的深淵！

我嘗試換個角度點醒他：就算背後有個巨輪，壓迫你、催促你。但那些都是你要做的事，你爲什麼不換個角度，不要走在巨輪的前面，要走在巨輪的後面，由你去推動它，要快就快、要慢就慢；由你來決定速度、由你來決定時間，這只是轉個念頭、轉個態度而已！

我進一步解釋，只要你自我要求的節奏、標準改變，就可以做到。如果組織的要求比你自我的要求高，如果主管的要求比你的自我要求嚴，你就被組織、被主管的節奏推著走，你就落入別人的掌控中。反之，如果你有更高的要求標準，比組織高、比組織嚴、比主管快、比主管先，那你就應付裕如。

事實上，這是我從工作第一天就學到的經驗。主管叫我拜訪三個客戶，我知道我笨，我決定拜訪五個，以補自己沒經驗的不足。主管叫我三天後交稿子，我怕寫不出來，我決定早一天寫好，以免到時候抓瞎；也就是因爲這樣的態度，我幾乎沒有看過主管的臉色，雖然工作的品質未必被獎勵，但至少不至於因爲工作完成不了而被罵！

「比老闆更高的自我要求標準」，變成我最重要的基本工作法則，不是爲了要

有好的績效，只是要免於挨罵。但久而久之，我逐漸發現更大的好處，那就是「更高的標準」，會讓自己更快進步，也會因而得到老闆信賴，而且可以擁有更大的自主空間。

因此，瞭解組織的要求，摸清老闆的習性，變成我的習慣，老闆急，我更急；老闆快，我更快；老闆嚴謹，我就更注意細節、更小心；老闆氣派恢宏，我就更大處著眼、揮灑自如。老闆說要省五毛，我就設法省一塊錢。這種「要五毛，給一塊」的工作邏輯，讓我永遠不會變成被檢討的對象。

這個小朋友能否「頓悟」這個「更高標準」的邏輯，我不敢說。但我看他眼光閃爍著光芒，我知道他有所體會。當然我更知道，這個「更高標準」的想法，不只是想法，更代表著你要有決心和毅力，也需要更聰明的做法，只要想通這一點，再加上嘗試與實踐，一切就會改變了。

後記：

有人問我，要五毛給一塊，這樣不是會把老闆寵壞了嗎？而以後老闆胃口變大了，不是讓我們更難過嗎？

我回答，如果有這種慾壑難填，不知愛護部屬的老闆，那就槍斃他、離開他。但一般而言，你這樣做老闆只會對你依賴越來越重，你很快會變成老闆的首席戰將，會享有特殊待遇，你會擁有最大的自主空間，你反而會成為老闆籠絡的對象。

44. 老闆能有多公平？

如果從單一時間點來看，沒有一件事是公平的；天平也不是真的平衡，不是偏左，就是偏右，那是鐘擺式的動態平衡。組織的公平，也是動態的公平，只要老闆有公平之心，不要去計較於某一件事的公平。

有一篇讓我印象深刻的文章：題目是「媽媽能有多公平？」是一個媽媽寫出她心中的感受，這位媽媽有一女一兒，她非常重視公平，因此任何事都是一視同仁，有兩顆糖，一人一顆；有禮物，也是兒女一人一份。但偏偏經常出現爲難，如果有三顆糖，一人一個之後，剩下一個，媽媽就說，弟弟小，這顆先給弟弟，下次再給姊姊。或者是有兩個不同的禮物，媽媽說，姊姊先挑一個，下次再給弟弟先挑。

問題是，媽媽已經這樣注意每一個細節，但兩個兒女仍然不時抱怨媽媽不公平。姊姊會說，爲什麼這一次要先給弟弟，爲什麼不先給我？弟弟會說，爲什麼不讓我先挑？不是數量的問題，就是先後的問題，再不然就是兩個人同時喜歡同

一件事，逼得媽媽每天排難解紛，一個非常重視公平的媽媽，但在處理日常的爭執時，仍然被罵不公平。

在我工作的過程中，我一直是那一對兒女之一，每天指望媽媽（主管）能公平評價我的表現，給我應得的肯定與回饋，有時候對公平的期待，甚至到了不可思議的地步。記得有一次剛到一個新單位，我發覺我的主管，和許多同事有說有笑，而我是新人，因爲不熟，插不上話，這時我都會有酸味，覺得老闆比較疼其他同事，而這時如果有任何的獎懲，我很容易就覺得老闆對我不公平，那是我在新環境中，因自卑而產生的「被不公平對待妄想症」。後來我更成熟，也升上主管之後，我非常強調公平，覺得公平是主管的唯一責任，甚至認爲主管如果不能公平的對待每一個同仁，根本就應該切腹自殺！

但是，我仍然遭遇許多不公平的質疑：有人說我耳根軟，會叫的人有糖吃，會吵的人就會得到比較好的待遇，默默耕耘的人就吃虧了。有人說我偏愛某些單位，這些單位一點小成果，我就給予肯定；有些單位我不重視，不論多努力，都不會得到認同。

我完全不否認我是可能不公平的。我承認我是人，人就可能有偏見，可能有主見，可能不客觀，因此一旦有任何抱怨，我唯一能做的是仔細傾聽、仔細檢討，如眞有問題，立即設法調整，但就算如此，我仍然無法免於不公平的指責，我仍然是一個無法讓所有同事覺得公平的主管。我就像那個努力做到公平，但卻被兒女指責的媽媽！

剛開始時，我對這種狀況完全不能理解，我急著找來當事人，說明我的態度、我的努力，以及我如何調整，但成果有限。日子久了，我對公平有更深刻的體會。誰有能力讓天平永遠不動呢？那是不可能的，天平不是偏左，就是偏右，那是一個動態的平衡，只要不是永遠偏一邊，雖然每一刻都不公平，但在修正調整中，長期會是公平的。

因此，我不指望社會、不指望老闆、不指望環境，能做到絕對的公平，只要有公平之心，雖然每一件事都不見得公平，但動態調整後，會找到眞正的相對公平。

後記：

有人對我說：何先生，你對我不公平！

我無言以對，連我自己都覺得對他不公平，但是我沒辦法，因為此時此刻，我手上的籌碼就只有這一些，我選擇了重點獎勵的方法，而不是平分；因此滿足了最急迫單位的需求，而其他人則被忽略了。

我無法解釋太多，我只能承認，我欠他，下次會設法補回。

45. 管理老闆的餿主意

老闆也是人，老闆也會犯錯。可怕的是老闆權力很大，犯的錯傷害更大，對大多數的工作者而言，你沒有力量阻止老闆犯錯，但你應該有效管理老闆的餿主意。

每一次我犯錯的時候，身邊最能幹的部屬總要倒大楣。因爲在關鍵時候，我總是派出最能幹的部屬出面收拾善後。每一次我要求他們出艱鉅任務，他們總是乖巧的答應。我也一直不覺得我有什麼問題。

一直到有一次，這位能幹的部屬告訴我，他現在的工作分不開身，無法再增加處理善後的工作，我不得已只好大費周章的勸說，他才勉強接受。而當事情處理完了以後，這位能幹而乖巧的部屬鄭重其事的「約談」我。他告訴我，他沒有權力管理我的決定，但是，他已經替我處理了非常多次善後工作，可不可以請我注意一下「公平」，如果以後再有這種「好事」，可不可以找其他人擔任，反正我身邊兵多將廣，應該讓每個人都有機會表現！

和部屬面談，我的經驗很多，但談完面紅耳赤、冷汗直流，這是少有的一次。我很清楚，這個能幹的小朋友不是眞的不願再接新工作，只是這些善後工作，讓他覺得很無趣，一方面是會發生這種事很荒唐；另一方面他也暗示，我一再出餿主意，讓他對我的「英明」大打折扣，其實是讓我自我節制一下，尤其是一句「他沒權力管理我的決定」，更道盡了一個忠心部屬的無奈！

從此以後，每當我有任何創意時，我先想到的就是「這會不會是另一個餿主意」，我的犯罪機率逐漸變少、變小。

對多數工作者而言，永遠是老闆餿主意的受害人，管理老闆的餿主意，絕對是必要的職場本領，尤其如果你是那個能幹的部屬。

「找到老闆的肚腸」，是管理老闆餿主意的開始；「老闆肚子裡的蛔蟲」，表面上是罵人的話，指的是逢迎拍馬，但是充分瞭解老闆的思考、動向，以及老闆正在做、正在想的事，絕對是一個聰明的部屬該做的事。「找到老闆的肚腸」，不是要成爲老闆的蛔蟲，而是了解老闆可能出手的招數，隨時準備接招！知道老闆要什麼、想什麼、即將做什麼，這是好的團隊默契，也是聰明員工的必要條件。

有時候，老闆的餿主意，員工也要負一半責任。因爲在事前老闆徵詢意見

時，許多部屬常會揣摩上意，含混以對，以至於老闆無法明確判斷，甚至誤以為大家都同意，這是辦公室中常見的現象，因此許多事一錯到底，一發不可收拾。

因此，當事先徵詢意見時，明確表達不同的反對意見，絕對不可或缺。但也許你會說，老闆很固執，天威難測，說不同的意見只會立即倒大楣，還是不說的好。如果你的態度是這樣，我只能說，你只是一般承上啓下的員工，你沒有判斷、沒有自我、沒有膽識，說自己相信的話，頂多口氣委婉罷了。如果眞是餿主意，絕對沒有模糊的空間，要嚴詞拒絕。

後記：

天威難測的帝王時代，臣子為了拒絕帝王的錯誤決定，不敢明說，只能拐彎抹角用各種隱喻，有時還難免冒犯皇帝，引來殺身之禍。

現代職場，絕無此事，尤其如果老闆一錯再錯，部屬絕對有責任直言，如果你還存在「為五斗米折腰」的心情，那你是個無足輕重的工作者，隨時可能被淘汰。

46. 老闆，我可以兼差嗎？

我在意的是：同事們心中不只有我們公司，還有別的公司。而這家「別的公司」卻又是同業，有時候還會和我們的公司正面競爭，這是「情人眼中容不下一粒砂子」的感覺。

相信沒有一個人會問老闆這個問題，因爲不可能有老闆會回答：「Yes」，就算每一個員工都有想兼差的念頭，但大多數只能夠在心中想想罷了，兼差賺外快，增加收入，只是可望而不可及的想像。

不過事實眞的如此嗎？不！任何一個人都可以輕易指出來身邊的親朋友好，分別在兼什麼樣的差，多一份額外的收入。兼差的人多到你不能想像，但這卻不是一件合理合法的事，兼差只能做，但不能說，一切都盡在不言中，大家心照不宣罷了！

最近我的辦公室發生了一件事，一個正式任用的記者，卻去替別的雜誌社寫

了一本書，而且堂而皇之的正式出版。我事前不知，但事後聽聞。我一直在等他自動來向我說明，卻始終等不到，最後我忍不住找他來問話，沒想到他的回答竟然是：過去大家不都這樣做嗎？

我無言以對，看到這位經驗豐富的記者，露出一臉無辜的表情，就好像說：怎麼有這麼白目的老闆，不准員工兼差，實在太落伍了。

我義正詞嚴的申明我的立場，這是工作者的「非競爭條款」，不得在同業從事相關工作的兼職活動。雖然我得到他的承諾，絕不會再做相關的事，但這過程並不十分愉快。

這讓我想起過去無數次類似的辯論過程，有人曾問：我的錢不夠花，在下班之後不能兼差貼補嗎？還有人說：我家裡開個小店，做個小生意，下班在家幫忙算不算兼差？更有人說：我利用閒暇時間，寫一本書出版，這難道也違反公司的規定嗎？

每一個說得出來的說法，都似乎讓我無言以對，但我也知道，真正的問題不是這些，而是兼差背後所隱藏的「感覺」，那是公司與工作者不能互相信任、不能

同心協力的問題。

我不願一一去驗明每一種情境的是非，我只能用「非競爭條款」，先禁止在同業間的兼差，這當然可以避免掉大多數的兼差可能。可是我知道，我並不是眞的在意同事的時間，也不見得眞的會影響工作，我在意的是：同事們心中不只有我們公司，還有別的公司。而這家「別的公司」卻又是同業，有時候還會和我們的公司正面競爭，這是「情人眼中容不下一粒砂子」的感覺。

我不曉得「不得在同業內兼差，不得做相類似工作的兼職」，是否合乎勞基法，但我明確知道，我無法容忍同事兼差。我期待所有的同事，我們都是「一家人」，而一家人不會一心兩用，想著別人、向著別人。

當然，對於那些因爲收入不足，需要去做非相關行業的兼差，我只能努力改善薪資福利，期待工作者可以早日脫離，不忍心苛責！

後記：

我非常強調忠誠，對自己忠誠、對工作忠誠、對公司忠誠、對同事忠誠。我恨別人不忠誠，也不能忍受同事不忠誠。

每一個公司，都是老闆開創的工作場域，我們應該入境隨俗，遵守老闆設定的規矩。

我相信每個公司的規矩不同，但不得兼差應有放諸四海皆準的共識，老闆不敢正面制止你的兼差，不是同意，只是處理的時候未到吧！

47. 肚量成就一輩子的追隨

肚量不見得要用金錢來表達，給予空間、給予舞台，是肚量；聽得下建言、聽得下真話、聽得下逆耳忠言，也是肚量；容得下能幹的部屬、容得下可能威脅自己地位的同事，更是肚量；承擔起部屬所犯的錯、扛得下責任，不會天塌下來，肩膀一歪，壓死一千人等，也是肚量……。

最近兩年，我有幸遭遇一個令我感動的故事：兩個年輕人充滿了創業的想像，也很有能力，因緣際會創辦了一家IT軟體服務公司，當他們為了增資發生困難，困擾不已之際，遇到了一個台灣的高科技公司老闆，聽完這兩個年輕人的處境之後，這位老闆掏出了上億的資金，只有少部分認列股份，做為投資，大部分的錢，則做為兩位年輕創業者代墊的資金，不要求利息、不要求回饋，沒有還債時間，只留下一句話：「創業成功了再還我。」

乍聽這個故事，我以為我聽錯了。商人重利輕義，舉世皆然，怎麼會有這樣的人？如果他占很大的股份，也還可以理解，因為可解釋為要收攬人心、收編團

隊。問題是這位老闆認列的股份很小，義無反顧的代墊資金，只能解釋為好人好事的善行，令人佩服，也為這兩位年輕人慶幸。

後來我聽了更多這位老闆的故事，我只能說他「肚量超凡」，絕對是台灣商場的大善人。

另一個類似的故事，發生在我自己的公司，我們是絕對的部門利潤中心制，有兩個單位當年度的獲利不佳，以至於年終獎金的額度很少，這兩位主管都做了同樣的事：放棄自己的獎金，全數分配給部屬。事後知道這件事，我又慚愧、又感動，有這樣的同事，三生有幸。

這也是有關肚量的故事，這兩個主管，並不是老闆，但他們也和前一個故事中的高科技公司老闆一樣，肚量非凡，對自己所帶的團隊負責，犧牲自己的一份，成就團隊。

在領導統御中，領導者的氣派與肚量是無法具體衡量的，卻往往是決定團隊與組織成敗的關鍵，因為有一個氣度非凡的領導者，我願意為他工作，願意義無

反顧效死力，願意一輩子追隨。因爲這樣，團隊會有力量，因爲團隊合作無間，組織才會有效率，公司才會成長。肚量成爲上位者吸引人最重要的特質，也成就團隊成員對領導者一輩子的追隨。

肚量不見得得用金錢來表達，給予空間、給予舞台，是肚量；聽得下建言、聽得下眞話、聽得下逆耳忠言，也是肚量；容得下能幹的部屬、容得下可能威脅自己地位的同事，更是肚量；承擔起部屬所犯的錯、扛得下責任，不會天塌下來，肩膀一歪，壓死一干人等，也是肚量；給得起錢、給得起獎金，這當然是可具體衡量的肚量。有功勞、有光彩的事，不和部屬搶功勞出鋒頭，也是會讓部屬衷心感謝的肚量……。

工作者，有肚量會成就人緣，很快會變成主管；主管有肚量會成就團隊，想創業時就會近悅遠來，不虞人才不足；老闆有肚量，會有一輩子追隨的死士。感嘆身邊人才不足的人，恐怕第一個要想想自己肚量如何？

後記：

有人告訴我，有幸遇到前述有肚量的老闆，赴湯蹈火都願意！

我承認，十個老闆九個小氣，肚量大的老闆，珍貴難求，因此如果你的老闆小氣，不要生氣，因為大家都一樣。但是如果你真有幸遇到大方的老闆，那真的要十分珍惜，而且要有受人點滴，泉湧以報的態度，如果你不知回報，這種有肚量的老闆，一旦發覺被愚弄，他們的反擊會很強烈。

48. 做不完的定律

這或許是戲謔與嘲諷，但有一定程度的真實，問題是面對「做不完定律」下的工作者，將如何自處呢？

熬夜加班是九九%的人採取的對應方法，但這絕不是正確的答案，這只不過是永無休止的惡夢，也不能真正改變工作的為難本質。要改變這種狀況，要靠非常多的方法，才能有效改變，而其中「重點法則」只是最關鍵性的做法。

高效率組織的本質是用較少的人力，做完較多的事，以獲取較高的效率，因此工作者面臨的是，永遠做不完的工作情境，如果要把事情做完，勢必要熬夜加班、夜以繼日。這是從個人到團隊、到部門、到全公司上下的普遍現象，下班以後，辦公室仍然燈火通明，是現代高度競爭下常見的結果。

這就是企業組織中的「做不完定律」：事情永遠做不完，如果事情做得完，你就是組織中不重要的人。如果公司中大多數的人事情做得完，你的公司一定是

有問題的公司，開始準備換工作吧！

這或許是戲謔與嘲諷，但有一定程度的眞實，問題是面對「做不完定律」下的工作者，將如何自處呢？熬夜加班是九九％的人採取的對應方法，但這絕不是正確的答案，這只不過是永無休止的惡夢，也不能眞正改變工作的爲難本質。要改變這種狀況，要靠非常多的方法，才能有效改變，而其中「重點法則」只是最關鍵性的做法。

「重點法則」可以分爲幾個層次：一、分辨什麼是重點工作；二、花全力處理重點工作；三、用最簡單的方法、最有效的方法，簡化或處理非重點工作；四、如果這樣還無法解決做不完的問題，那就要想辦法從結構面來改善工作內容及流程。

分辨重點工作，可以簡單分類，如果你能簡單找出二〇％的重點工作，那你已經找到關鍵，如果你仔細分析之後，重點工作不論從工作分量或內容上來認定，其總工作比重還超過你全部工作的二〇％，那你還沒有眞正找到什麼是重點工作。這時候你只要把其中屬於緊急，但不重要的工作排除，很可能又會刪除許

多被你列爲重點的工作。

此外，大多數人重要與緊急不分，許多緊急的工作事實上一點都不重要，但卻占去你大多數的時間，也排擠掉重要的工作，是否找出百分之二十的重點工作，是重點法則的第一步。

第二步，花全力處理重點工作，其實就是「八十／二十」原理的運用，用你八〇%的工作時間及工作精力，去把二〇%的重點工作做好，你就會獲得最大的工作績效。

至於剩下的八〇%非重點工作，你也要做好。問題是你只剩下二〇%的精力及時間，如何能做完、做好？把同樣的工作集中處理，批次處理是第一個思考，改變工作流程、簡化工作方法，是第二項你該做的事。許多工作從你承接開始，其實並不是最有效率的流程，只要你仔細解讀工作的內涵，你很可能會找到新的工作模式，或者是步驟簡化，或者是使用新的有效工具，都可使工作效率改善，當然如果能省略或清除不必要的工作，當然你可以立即減少許多工作。

如果上述三項還無法解決事情做不完的困擾，那表示在你自己身上是無法單獨解決工作做不完的問題，就要進一步進行外部溝通及上級溝通。外部溝通解決

的是部分工作與外部單位銜接所存在的不效率，要求大家進一步來協商解決，這也是改變及簡化工作流程。至於上級溝通，則是從改變工作定位、工作分工或者增加人力來改變。

如果工作者不能認知工作「做不完定律」，只知抱怨，要求主管改善，而沒有對應方法，下場絕對是個悲劇！

後記：

這個定律和老闆的不講理定律一模一樣，都是職場中顛撲不破的真相。只不過大多數人不瞭解，總是努力的要把事情做完，當然就痛苦不堪。

工作者要想的是，不是把工作做完，而是有一個健康的態度，面對做不完。

Chapter 5
自慢的生涯抉擇

我永遠充滿「野性的鬥志」，
只要我想要，不達目的，絕不終止。
當然不論面對多麼困難的情境，
我絕對不會放棄，
這些都是我相信的事，
伴我度過人生每一個轉折。

年輕時，決定從事媒體工作，到中國時報系應徵，信佛的媽媽告訴我，到關渡宮問一問媽祖，看好不好？我不能拒絕。結果媽媽回來告訴我，媽祖說不好，記者像流氓一樣，不要當記者。我告訴媽媽，來不及了，我已經辭職到工商時報上班了。

後來，我決定離開中國時報，自行創業，媽媽又說，問問媽祖吧。我還是不能拒絕。媽媽問完媽祖後告訴我，媽祖說中國時報很安全，不要辭，創業太危險，不要去！我又告訴我媽媽，來不及了，我已經辭職了。媽媽不安心，但也只好由我了！

我不是無神論者，但在每一次生涯轉換時，我自己下決定，我自己做判斷，我自己的路，勇敢的走。

我依靠的是一些基本觀念：如「追隨內心的呼喚」，每一次要改變時，我認真的問自己未來我想要什麼。又如我永遠充滿「野性的鬥志」，只要我想要，不達目的，絕不終止。當然不論面對多麼困難的情境，我絕對不會放棄，這些都是我相信的事，伴我度過人生每一個轉折。

49. 野性的鬥志

淝水之戰的謝安，他遇到超過十倍兵力的敵人；草船借箭的孔明，他遇到一個根本不可能完成的任務。

這是歷史上久遠的故事，但現實生活中，我們會遇到更多類似狀況，這個時候，需要的就是「野性的鬥志」，拔出劍來，奮力一搏，我一定要完成，誰也不能阻擋！

我曾見過一個讓我敬畏的年輕人。他曾經是我的業務主管，在西元一九九五年網路世界興盛的時候，有一次我和他談到未來世界有兩種關鍵的技能，一項是電腦，一項是英語，未來世界離不開電腦的使用，而網路的興盛又讓英語成爲世界語言，沒有這兩種技能的人，未來將是弱者。

隔了三天之後，他來看我，帶了一台筆記型電腦，告訴我，他花了三天，學會了電腦基本的使用，包括中文打字，他努力的向我展現三天幾乎不眠不休的學習成果。

之後，他同時努力的學英文，幾年之後，他不但英語溝通自如。有一次他在一個領獎的場合，甚至用英語發表致謝辭！現在他早已自行創業，開了一家網路應用軟體公司，技術開發團隊養在世界各地，這家公司很可能是未來網路世界的明星公司。

對他的敬畏，來自在他身上奔流的「野性的鬥志」，努力向上不服輸，心裡沒有不可能，只要他想做，他會用不可思議的方法，用最短的時間去完成，他的鬥志、速度、執行力經常會嚇我一大跳。

我就是充滿「野性的鬥志」的人，但我碰到了更不可思議的年輕人，我能不害怕嗎？於是我投資他的公司，讓他永遠成爲我團隊的一部分。

世界上大多時候有常理可循，有常規可依，但我們也常常會遇到不合理的狀況，淝水之戰的謝安，他遇到超過十倍兵力的敵人；草船借箭的孔明，他遇到一個根本不可能完成的任務。這些都是歷史上久遠的故事，但現實生活中，我們會遇到更多類似狀況，不講理的老闆要求你承諾做不到的業務，要你去做一件他自

己都沒把握的事，甚至發生意外時，你可能在千鈞一髮中，只有百分之一的逃命機會……。

這個時候，你無法講理，無法說要不要，思考可能不可能更無意義。這個時候，你需要的就是「野性的鬥志」，拔出劍來，奮力一搏，我一定要完成，誰也不能阻擋！

野性的鬥志不是天生的，是逐漸培養出來的。所有的生活體驗，都是培養「野性的鬥志」的過程，父母說的，老師交代的，主管命令的，都要告訴自己，絕對不說「不」，不去思考事情可能不可能，只去想如何去完成，爲什麼嚴格的教育與訓練，會訓練出最精銳的軍隊的原因。每一個人的戰力，都是建築在內心的「野性的鬥志」。

外在的訓練是一件事，在自我要求中，讓自己陷在不可能的任務中，是培養野性的鬥志的另一種方法。只要有機會，就下定決心做一件不可能的事，然後想盡各種辦法去克服它、完成它，這是自我培養的方法。前面的故事：「三天學會電腦」，就是例子，沒人要求他，他自己決定學會，於是他就學會了！

或許有人會說，爲什麼要這麼折磨自己？對這個問題我沒意見，但至少這不是我的風格！我只是不想當那個影像模糊、沒有特色的平常人！你呢？

後記：

這又是人生態度的論辯，要輕鬆過平常人的生活，還是全力以赴、活出不一樣的人生？選擇後者的話，那麼鬥志（Fighting）就是關鍵。

我打橄欖球，原因無他，這是一個打團隊、打鬥志的球種，我的身材、體型可能不如人，但我絕不畏縮，奮戰到底，鬥志會化不可能為可能，所有歷史上以寡擊眾，所有可歌可泣的戰爭，鬥志都是決勝因素！

50. 千萬別做生意

「千萬別做生意」，沒有人會相信的，我並不是真的建議所有的人不做生意，而是說如果你有其他的天分，千萬不要「隨俗」、「隨性」也走上生意的路子。

因為做生意的天才只有百分之一的機率……。

有人一輩子就是千萬別做生意，因爲違反造物者的原意，造物者給了你別的天分，你爲什麼偏偏還不知足，卻要跌落商場的凡塵？

你能想像京劇名伶梅蘭芳，轉戰商場，變成一個成功的生意人？或者是國畫大師齊白石，經營公司，過著錙銖必較的日子？又例如《紅樓夢》作者曹雪芹，像胡雪巖一樣，呼風喚雨，跟錢往來？

相信大多數人都不能想像上述的場景，甚至大多數人也都認爲這不是一件對的事，因爲造物者已經給了這些人很特別的路，他們演的是很特殊的角色，但絕

對不是生意！可是，如果梅蘭芳一定要做生意呢？我們不只不能想像，而且幾乎可以確定結果一定是悲劇，或者至少對梅蘭芳個人而言，絕對是一場劫難，一段痛苦不堪的折磨；或者整個社會根本就不會出現我們所認識的梅蘭芳。

其實這是很容易懂的道理，每個人有每個人的道路，條條大路通羅馬，行行可以出狀元，爲什麼都一定要走入生意的窄門呢？

不幸的是，台灣是一個太富裕的社會，你身邊隨時有揮金如土、隨心所欲的有錢人，有錢與成就幾乎畫上完全等號，而躋身有錢之道，做生意是最明確的道路。年輕人怎能不立志，做生意、賺大錢？

這似乎是完全不可能的勸告，「千萬別做生意」，沒有人會相信的。不過沒關係！我眞正的意思並不是讓所有的人不做生意，而是說如果你有其他的天分，千萬不要「隨俗」、「隨性」也走上生意的路子。

明顯的例子是藝人，影劇版上不是常常報導某知名藝人在演藝之餘，又開了服裝店、珠寶店、餐廳、冰店……，好像藝人不開個店，做做生意就是無能、就不夠紅，可是你聽過多少藝人做生意成功的呢？很少。

台灣知名藝人，現在走紅新加坡的主持人曹啓泰就是好的故事，在他的新書《一堂一億六千萬的課》中，他坦白的述說他如何開了五家公司，如何在五年之內賠了一億多，如何暗無天日的度過借錢、軋支票的日子。曹啓泰的故事是我親眼所見最典型的創業的故事，說明的只有一件事，不是人人可創業！

如果有機會，我還是要說，千萬別做生意，除非你有生意天分，而這個比率可能只有百分之一，你是嗎？

後記：

有人問我，你是希望大家都別創業嗎？

不！我鼓勵大家都創業，因為在資本主義社會，功名利祿全在創業中，而這篇文章是讓每個正要創業的人再一次檢視一下自己的個性、自己的準備。也讓那些領薪水不甘心的人，先做一些心理建設，創業成功的果實甜美，但歷程凶險萬伏，粉身碎骨的機會也很大，創業前先想清楚！

51. 遠離舒適圈

追逐舒適圈，是人之常情；找一個較好的工作，人人如此。問題是這個邏輯永遠對嗎？當然不是，如果你現在已經超過四十歲，未來的發展，已經受到許多限制，對任何的異動，都要審慎。如果你現在還年輕，如果你剛入職場，未來的發展還有無窮可能，舒適圈只會讓你安逸、懈怠，限縮了你未來的發展。

最近公司內有一個新事業發展計畫，是有關數位內容的構建與發展，由於是一項全新的想像，因此需要調一位有能力、有想像力的主管去負責。我挑了一位過去表現良好的主管，希望他出任艱鉅，承擔這個公司非常重視的計畫。

經過溝通後，這位主管剛開始表現高度的興趣，並深入的瞭解了計畫的內容，我很高興深慶得人。不過最後他卻拒絕了這個工作，讓我非常的失望。我不得不再仔細的約談他，希望瞭解問題的根源。

他說了許多的理由，例如：對新工作不熟悉，對原工作任務未了，一時走不

開等等，可是在我看來，似乎都是一些不明確的理由，我覺得其中一定還有說不出來的原因。

我從他的好朋友口中，側面得知，他眞正顧慮的是，他現在的工作已經非常熟悉，而且該單位營運的狀況也很好，他不願放棄現在這個熟悉而「輕鬆」的工作，去面臨一個有挑戰性，但成果未卜的職位。

知道這個理由後，我十分失望，我知道又是「舒適圈」現象在作祟，如果目前的工作穩定、舒適、安逸，其實很少人願意接受新的挑戰，去面臨不可知的未來。

在職場中，總有「舒適圈」與「艱困圈」的分野。就算同一家公司，也有部門差異，有的部門運營良好，工作者福利待遇都佳；有的部門則較辛苦，這就是舒適圈與艱困圈的差異。當然不同的公司，不同行業其舒適圈與艱困圈的差異就更大了。

追逐舒適圈，是人之常情；找一個較好的工作，人人如此。問題是這個邏輯永遠對嗎？當然不是，如果你現在已經超過四十歲，未來的發展，已經受到許多

限制，對任何的異動，都要審慎。可是，如果你現在還年輕，如果你剛入職場，未來的發展還有無窮可能，舒適圈只會讓你安逸、懈怠，限縮了你未來的發展。

在我帶過的所有主管中，其實很容易分辨出其中的差異，快速成長，潛力無限的主管，通常都歷經了各種不同的考驗，他們的態度開朗、樂觀進取，面對新事務不憂不拒。反之，變動較少，成長較慢，未來的發展也較受到限制。

如果變動是跨行業、跨公司，甚至是生涯轉換，當然要慎重。但如果是在同一行業、同一公司，工作變動，其實大多數是代表培育與晉升。公司願意把新的挑戰交給一個人，隱含了認同與肯定。如果你拒絕的真正理由，只是不願離開舒適圈（當然你會用別的理由拒絕，只不過事實的眞相，絕對瞞不過聰明的老闆），那就很可惜。

或許應該這樣說，在三十歲以前，勇於探索新事務、新工作、新機會，以增強自己的歷練、能力是讓自己多才多藝的不二法門。而在四十歲之前，雖然在某些領域上你已經有一些成果，但是遠離舒適圈，不斷接受新機會與新挑戰，仍然是必要的態度。一味要坐進安逸的舒適圈，結果只會讓自己在職場中被邊緣化，變成可有可無的工作者。

後記：

一位老朋友告訴我，遠離舒適圈是寫給年輕人看的，像我這種老人家（五十多歲），當然要守穩舒適圈了。

我笑笑，也理解，人各有志。但我的想法不是這樣，我認為人只要喪失鬥志、喪失挑戰，很快就會消沉枯萎，因此我年過半百，但鬥志昂揚、雄心萬丈。

我不斷開啓新戰場，我喜歡和年輕人一起探索未來，小朋友告訴我：何先生，你是戰士。我回答：是的，我樂在戰場，而不要安樂窩！

52. 讓想像飛翔

想像其實只是態度，當你擁有積極的想法（positive theory）時，你的想像力便豐富起來，所有的可能都會出現。

當你對所有的事都好奇時，你會發覺這個世界變化萬千，璀璨絢爛，所有的可能都在等著你。當你大膽假設時，許多平時意想不到的事，也都變成可能。

所以，選擇讓想像做一次高空飛行吧！

西元一九九四年左右，我在法蘭克福書展上看到一個設計新穎的旅行地圖，這種地圖摺起來只有巴掌大小，正好放在口袋中；而打開時約莫有B4大小，適合旅行者在戶外使用。更重要的是，它的摺疊方法，極其方便自然，打開時像爆米花一樣爆開來，收起來時又縮回原樣，完全沒有一般地圖，打開了不易摺回去的困擾。當時這個老闆只有一個小攤位，他告訴我：他的產品有專利。

西元二〇〇四年，當我再到倫敦書展時，我赫然發覺，這家公司已經變成一

家大公司，名為MAP Group，攤位氣派。十年後再見這個老闆，他告訴我，他已經拿下英國三〇%的旅遊地圖市場，他生產的Popout旅遊地圖賣遍了全世界。

這是一個活生生的創業故事，從創業者的一個想像出發，從無到有，從小到大。在我跟這位老闆的對話中，我更知道他的創業是從倫敦近郊的巴斯（以古羅馬浴池聞名）開始。他設計了巴斯的旅遊地圖，在巴斯的街上擺攤向遊客販售，不時還要躲警察。那時他發覺地圖難摺，於是設計出後來的Popout Map；更有趣的是，他原來的工作是個飛行員，只不過不想再因飛行而遠離家庭，因而決定創業，一切都從想像開始，當想像力飛翔，他的創業故事也與時俱進。

這個故事充分說明「想像」的經濟價值。當想像從一個念頭，變成夢想推演，再從夢想推演，延伸成具體的行動方案，再化為實踐體驗。如果再加一點幸運，就會變成一個成功的創業故事，想像、想像力，通常是所有故事的源頭。問題是，對未來充滿憧憬的你，除了憧憬之外，你有想像與想像力嗎？

其實大多數人是缺乏想像與想像力的。報明年的業績，你只能從今年的業績，往上酌加一點，甚至還怕保不住今年的業績。談行銷，你只能就過去所做過

的事，重新組合再做一遍；規畫新產品，你通常也只是從過去的經驗，推估未來的銷售量，極可能還充斥著過去失敗的想像，不會有令人興奮的規畫。對你自己的未來，你就更審慎了，現況是安定的、是安逸的，就算所有的分析都告訴你改變大有可為，但是你還是思前想後，不能放手一搏。

想像其實只是態度，當你用積極的想法（positive theory）時，你的想像力便豐富起來，所有的可能都會出現。當你對所有的事都好奇時，你會發覺這個世界變化萬千，璀璨絢爛，所有的可能都在等著你。當你大膽假設時，許多平時意想不到的事，也都變成可能。

想像其實只是一種假設，我做任何事都要問，如果做成功，成功的果實有多甜美，如果期望值夠大，我們才會做，也才值得做。問題是，如果我們沒想像，我們不會對任何事有熱忱、有興趣的。

當然想像只是「大膽假設」，一旦要付諸行動，更要「小心求證」。我們不能只憑想像就下手，但是如果沒想像，就永遠不會行動。做任何事之前，先讓想像飛翔吧！

後記：

Popout的旅遊地圖，是一個極精彩的創意，靠這個創意，這家公司能在大手如雲的旅遊業界獨樹一格，來源就是老闆的想像力。

「有夢最美，希望相隨」是流行話語，而想像力也是其中的動力來源。沒有想像力，是把自己自囚在斗室之中，有何樂趣呢！

53. 你可以選擇不同的生活……

每個人都想工作輕鬆，想擁有不一樣的生活，這當然無可厚非，也無是非對錯。有些人可能工作繁重，但內心卻自由而輕鬆；有些人選擇了輕鬆的工作，但卻永遠受制於人，而無法活出真正的自我。

如果是你，你想要選擇的是什麼樣的生活？

一個表現非常傑出的年輕人，我想提升他爲主管，沒想到他竟然拒絕，他告訴我：「何先生，謝謝你的好意，但是我不想像你一樣辛苦，我想選擇不一樣的生活！」

當下我無言以對，走出自我，尋找不一樣的路，似乎是當今社會當紅的人生觀，我怎能否定呢？

我想起當年我決定考預官的情景：大學畢業時，我因對政治思想科目不耐煩，決定放棄預官考試，去當大頭兵。但就在考前一週，我想到如果當大頭兵，我要被班長、排長、連長管，完全沒有自我，一年多受制於人的生活，日子要怎

麼過呢？念頭一轉，我決定考預官，我花了幾天，生吞活剝所有的考題，我考上預官，也找回了一年多能夠自我管理的當兵日子。

年輕人看到我工作的繁忙，看到我壓力的沉重，但他沒有看到我工作中的自我，我只做我相信的事、只說我相信的話；工作中我能商量、會妥協，但我絕不會出賣良知；我用我喜歡的方法，管理我的團隊，我擁有自我，我自主管理。

不論什麼職位，在組織中，我都全力以赴，以期表現傑出，我要的不只是升官加薪，說眞的，那並不重要，我眞正要的是，我能取得發言權，讓組織按照我的邏輯走，當我越被組織認同，我的空間就越大，我的自主管理就存在，我所有的努力，只不過是想活出自我。

年輕人想工作輕鬆，想擁有和我不一樣的生活，我無可厚非，既是選擇，就無是非對錯。問題是，他不知道我工作繁重，但內心自由而輕鬆。而他的選擇可能是工作輕鬆，但永遠受制於人，是不可能眞正活出自我的。

更何況，如果他碰到一個像我一樣的老闆，知道他對未來沒想像，對成長無指望，我給他的工作一件也不會少；但好的機會、好的舞台，也絕對輪不到他。

結論是，他不可能輕鬆，也不會有不一樣的生活，但在組織中卻會被邊緣化！

選擇不一樣的生活，是令人嚮往的，也是好的人生抉擇。但要選擇不一樣的生活，就要離開組織，去流浪，回家種田去都可以，絕對不是又要留在組織中，又想用和組織不一樣的工作態度、生活哲學，來找回自我。

我一向態度是，不和組織對立，組織步調快，我步調更快；組織談獲利，我努力賺更多；組織有理想，我理想更高遠。目的無他，就是要用最簡單的方法，擺脫組織的糾纏，找回自我。當然我一旦取得組織的關鍵地位，我甚至有機會改變組織的邏輯，真正找回自我，得到你想要的生活。

每一個人都可以選擇不一樣的生活，但在組織中不能！活在組織中，你只能順應組織的邏輯，用更好的工作效率，得到組織的肯定，也同時得到更大的空間，這樣你才有機會找回自我，得到你想要的生活。

後記：

這也是人生態度的爭辯，我發覺太多人在富貴功名與輕鬆生活之

間徘徊。我的答案還是一樣，要不就離群索居，遺世獨立，那才有自己過生活的可能，但這也表示要辛苦的自給自足：那是遙遠的農村時代。

否則在現代社會中，在公司中，要不就積極進取，升官發財；要不就被邊緣化，隨時被淘汰。

54. 追隨內心的呼喚

如果是真正的「內心的呼喚」，就算再辛苦也要樂在其中。

年輕的小朋友常會誤用「追隨內心呼喚」的定義。一個小朋友告訴我旅遊是他最喜歡的，為了旅遊，他不惜犧牲工作。

我回答，有誰不喜歡旅遊？但如果旅遊是工作，你還喜歡嗎？想想看導遊，每天在旅遊，但你喜歡嗎？

真正的內心呼喚與喜歡，是指充滿熱忱、懷抱理想，有一個願望要完成，而不只是表象的享樂。

有一個非新聞科系的學生來應徵攝影記者。他完全沒有實務經驗，只是因爲喜歡攝影。同時還有許多位應徵者，條件都非常好。我實在沒有用這位非本科系學生的理由。但他告訴我，他實在太喜愛攝影了，幾乎任何時間，相機都不離手，在拍照的時候他得到最大的快樂，希望我能給他試用的機會。我決定讓他一試。結果他幾乎成爲我記憶中最好的攝影記者之一。

我見過一個財務金融系的高材生，她也擁有會計師執照，但是她從來都沒有從事財務會計工作，她進了媒體，做上市櫃公司的財務分析。後來與朋友一起創立了財務資料庫公司。她是我見過的最專業的財務分析人員，對上市櫃公司的財報瞭如指掌，任何一個小錯誤，她都能發現，而她的資料庫公司也廣被信賴，獲利極佳。

用專業的工作者，本科、本系、學有專精，這是一般的用人邏輯。但是興趣、熱忱、投入則是另一個關鍵。當一個人做他有興趣、有熱忱的事，他會全力投入，得到最好的結果。

我從事的媒體工作，就是一個最講究興趣與熱忱的工作。我告訴所有的新進者：這是一個有理想色彩的工作，如果你沒有想法、沒有改變社會的動機，千萬別進此行，因爲複雜、危機、辛苦，而待遇不高。

年輕的小朋友常和我探討他們的迷惑，尤其當有幾個工作機會選擇時，在待遇、環境、工作內容之間，困惑不已。我的回答通常很簡單，傾聽自己的內心的呼喚，這應是最重要的思考因素，什麼是你的興趣？什麼是你內心最深的想望？

什麼是你覺得有意義的事？那才是你最應該去做的事！不要在乎錢、在乎環境，不要在乎外在的牽絆！

但什麼才是眞正的「內心的呼喚」？年輕的小朋友常會誤用。一個小朋友告訴我旅遊是他最喜歡的，爲了旅遊，他不惜犧牲工作。我回答，有誰不喜歡旅遊？但如果旅遊是工作，你還喜歡嗎？想想看導遊，每天在旅遊，但你喜歡嗎？眞正的喜歡，沒有條件，再苦也樂在其中。眞正的喜歡，充滿熱忱，懷抱理想，有一個願望要完成，不只是表象的享樂。

現實是阻斷「內心的呼喚」的另一個殺手。許多人暫時放下「內心的呼喚」，因爲現實不許可！許多人會說，當我賺夠了足夠的錢，當我有了成就，我再去追逐理想。因爲現在所做的事是「事業」，一旦事業有成，我再去完成「志業」，許多中年人，許多占住重要職位的人，都這樣說、這樣做。問題是一旦你遷就現實，很可能就一輩子錯過了「內心的呼喚」！

天下沒有餓死人的。你所謂的現實，其實和年輕人把享樂誤當有興趣沒兩樣；戀棧現在，其實只是要有更多錢，只是受到物慾的勾引，但物慾的滿足，能

讓你眞正快樂嗎？

傾聽內心的呼喚，追隨內心的呼喚，不論今年你幾歲，不論現在你有多少錢，忘記你現在的職位，別再等待！

後記：

內心的呼喚很重要，每個人都要傾聽，但請注意，也有很多虛假的內心呼喚，千萬別被騙了。

當我們工作不順利時，當我們心情的低潮期，我們很可能對現狀不滿、對現實厭倦。這時候虛偽的內心呼喚就會油然升起：現在的生活不是我要的，我要重新尋找真正的興趣。

虛偽的呼喚很容易辨認，因為沒有真正的想望，也沒有真正的興趣，只要丟掉現況。千萬別因虛假的呼喚而離開現有的工作。

55. 寬恕、諒解、海闊天空

面對壞事，該怎麼辦？抱怨、生氣是大家最常見的反應，但之後呢？要記恨嗎？要報復嗎？還是能有最高境界「相逢一笑泯千仇」嗎？忘記是最簡單的方法，把壞事掃進歷史的垃圾堆吧！

一個小朋友來「倒垃圾」，他很不甘心，籌備了許多的活動，事前一再的檢查，一再的演練，一切都那麼完美，但誰知道一場大雷雨，打亂了一切步驟，破壞了所有的努力！尤其不甘心的是，偏偏雨只下那麼一小時，事前不下，事後也不下，就只有在那關鍵的一小時來攪局，這不是捉弄人嗎？

另一個小朋友則抱怨，相關的單位不配合，太本位主義，堅持流程，不肯做一些妥協與讓步。以至於他的事情無法如期完成。我問他：你一切都照流程來嗎？他回答：我只不過晚一天，況且又不是因爲我的錯，是作者晚一天交稿，其他單位爲什麼不能通融呢？

另一個小朋友氣沖沖的準備打官司，因爲已簽約的作者琵琶別抱，而且還放

話說公司的不是。我問他：打完官司，然後呢？他回答：出氣啊，也可以讓作者知道，出版社不是好欺負的！

三個完全不一樣的案例，但是劇情的本質都一樣：當有壞事降臨，該怎麼辦？這三種反應都常常發生在我身上，但隨著年紀的增長，我嘗試學會不一樣的對應方法，雖然一直到目前爲止，也還是常常暴跳如雷、常常義憤塡膺、常常破口大罵！但眞正的行動、眞正的反應，往往要慢好幾拍，好讓我自己冷靜下來，因爲對這些事，我眞正的反應是：釋懷、諒解與寬恕！

對不可抗力的意外，對不可測的疏失，就算有人該負責，但當事人也十分自責、懊惱，這個時候，生氣、憤怒都沒用，反而只會讓所有的工作者更傷心。這時候正確的態度是釋懷、是一笑置之、是對老天爺說：「你沒看到我這麼努力，竟然開我這麼大的玩笑！你欠我，有一天要賠我！」用時間來忘記不愉快，轉個念頭，世界會更美好！

第二種狀況，需要的是自省與諒解，每一個單位按規定辦事，每一個人都有不同的思考，不可能每一個人都對你所發生的事感同身受，當別人的想法和你不

一樣，用非你所期待的方法來回應，讓你覺得受到不公平待遇，但追根究柢，對方也沒錯，其實我們無法怪任何人，這時候每個人都會不平、都會不滿，但我們眞正需要的是：諒解！諒解對方的立場、諒解對方的爲難、諒解制度的僵化、諒解主事者有不能克服的角色扮演……。

第三種壞事，我們面臨的可能是背叛，可能是被不合理的算計，可能根本對方就是壞人，這個時候司法可能是唯一的途徑，也可能是必然的方法。問題是司法能否討回公道？這是我冷靜下來之後，常常思考的問題，贏了官司、贏了面子、得到賠償、贏了裡子……，到底是哪一種結果？但大多數我發覺，其實什麼也得不到，或者應說打官司，也許可以得到一些回饋，但通常會付出機會成本，其實不划算，因此，寬恕通常是我的選擇，我把別人的不義，當作是對我的「自然債務」，老天爺有一天終究會要他償還的。

後記：

人類社會是個小圈圈，撞來撞去，都會遇到熟人。有時候我們不小心結了冤家，心想反正以後不碰頭就沒事了。誰知道，山不轉

路轉，又撞個正著，這時候，冤家要如何面對，就看每一個人的態度了。

我通常選擇遺忘、選擇原諒，我還記得我對一個自以為是我的仇人說：「你放心！我記性不好，我們從現在開始重新當朋友，過去的事就算了吧！」

56. 你放棄了嗎？

我一生創辦了數十種雜誌中，最煎熬的雜誌虧損了七年，再其次有五年、有三年，一般也要虧損一年左右，只有極少數的刊物，能一戰成功。在這虧損的日子裡，我與同事最深刻的對話就是：你放棄了嗎？

在煎熬中，總有許多同事會來向我辭職，因爲無法忍受暗無天日的虧損折磨，他們雖然只是打工者，但公司經營的辛苦，他們看在眼裡，感同身受。更痛苦的是，產品不成熟、讀者少、得不到認同、工作沒有成就感，日子一久，選擇離職，理所當然。

這時候，我與他們最關鍵性的對話就是：「你放棄了嗎？」我要確定的，是他們並不是因爲其他個人的原因而離職，而是因爲目前的陷落、目前的痛苦。如果是這樣，我更要確定他們是否決定要向失敗投降。

很多人最後留下來，很多人選擇走，我不能改變，也不能勉強，但在這其中，我深刻的體會到「樂觀看未來」的重要。

人生有起有落，有好時光，有壞日子，好壞相連，禍福循環。每個人都會過好日子，但只有少數人能正確面對壞時光，能從陷落的生命中奮起，而其中的關鍵就是正面看待未來，對明天抱持樂觀的想法。因爲樂觀，你可以在黑暗中，仍然摸索前進；因爲樂觀，你可以在最後一刻仍然不放棄、奮力一搏；因爲樂觀，你可以在痛苦煎熬中仍然鬥志昂揚；因爲樂觀，你也才有機會在絕望中，發出救命聲，讓上帝有機會聽到你的呼喊。

小朋友告訴我：我是一個無可救藥的樂觀主義者。我猛然驚醒，爲什麼會這樣呢？我確實看任何事都從好的方面想。遇到壞的事，我會說：總會遇到的，我今天遇到了壞事，明天就應該不會再壞了。如果明天又遇到，我會想，已經連兩壞，後天就應該會變好；如果後天又遇到壞事，我會跟上帝說：我已經遇到這麼多壞事，上帝你應該公平點，要記得還我。當然我也認爲：人的一生所要遇到的壞事總量是固定的，每遇到一次，未來我遇到的壞事就少一次，因此「遇壞則喜」，因爲又過了一關。

讓我保持樂觀，還有另一個原因。那就是「忘記」。遇到挫折、遇到壞運氣，我常覺得事情已經發生了，後悔、生氣又有什麼用，就認定這個事實吧！忘記這

個不愉快的經驗吧！留一點力量去想怎麼解決，不要懊惱、不要生氣。因此在最困難的時候，通常我會回家睡一覺、養精蓄銳之後，再回來面對困難。當然也可能事情太嚴重，處境太艱難，回家也可能睡不著。這時候我就會採取另一種方法，去打一場激烈的球，把自己累到筋疲力竭，用身體的勞累，逼自己放鬆睡覺。醒來後，再放手一搏。

我知道要保持樂觀，並不太容易，尤其當生命陷落時，問題是，悲觀、生氣、惱怒、擔心，絕對於事無補，只會讓你更跌入黑暗的深淵。樂觀會使我們支撐到最後一刻，會使我們絕不放棄，不放棄才有機會逆轉，機會永遠是留給存活最久的人。

後記：

在商場上，我看多了陰錯陽差的故事，有人撐不過，從此身敗名裂；而有人撐過了，又呼風喚雨，這一線之隔，天壤之別。其關鍵在於當事人是不是放棄，放棄就蓋棺論定，比賽結束。在逆境中絕對不能放棄，絕對不能讓比賽結束！

57. 認輸逃避的名字是「這不是我的興趣」

每一個人該認清低潮的自己、懦弱的自己、想不開的自己，逃避是理所當然的，認輸也是可能的。

只不過沒有人會真正用「認輸逃避」做為理由，因為這理由太差勁了，表示自己吃不了苦、禁不起考驗，於是乎「興趣不合」變成每一個人最常用的理由。

因爲買房子的緣故，認識了一個相當認眞負責的房屋仲介業務員。最近他認眞的向我請教轉業的事。我問他：「你不是做得不錯嗎？」爲什麼想轉行？他回答：「現在我對買賣房子已經沒有興趣、沒有熱忱！」我再問：「那你對什麼事有興趣？」他說還在想，不知道。

這個劇情我見過太多了，也太熟悉了。我繼續問：「你最近的業績好嗎？」「不好！」和我的猜測完全一致。「你過去的業績好嗎？」「曾經很好。」「那你過去對賣房子有興趣、有熱忱嗎？」「那是剛開始的時候，大陸的政府不打壓

房地產，相較現在，生意好做多了。」他的回答也合乎我的預測，他其實並不是因爲興趣不合而想離開，而是因爲挫折，耐不住寂寞！

我沒有直接告訴他我的想法，怕打擊他的信心。但我提供了幾個思考方向：

一、確認自己對什麼事有興趣，而這件事又可以當事業經營。

二、確認對現在的工作沒熱忱、沒興趣，是不是受了環境不佳、生意不好做，以至於業績不佳、獎金不多的影響？

三、回想一下，過去業績好的時候，你是否覺得對房地產充滿熱忱呢？

這位小朋友還沒有給我答案，但根據我的經驗，九〇%以上的原因是，他根本不是沒興趣，或者說，他根本不知道自己對什麼有興趣，做房地產，也還OK！只不過隨著市場起伏，隨著業績波動浮沉，就沒信心了。現在想離開，只不過是用「沒有興趣」來迴避認輸逃避。大多數的人，面臨生涯挫折、陷落時，都用「興趣不合」做爲逃避的代名詞。

我也曾經陷落過，我也曾經想轉業，只不過上天眷顧我，當時我想不出有興趣的事，也正好沒有其他的機會，而我又家無餘糧，不能辭職慢慢找答案，只好

繼續做。而後來，陷落過去了，心平復了，我又發覺我對原來的工作還是充滿熱忱！

這些都是一時一地的起伏。每一個人該認清低潮的自己、懦弱的自己、想不開的自己，逃避是理所當然的，認輸也是可能的。只不過沒有人會眞正用「認輸逃避」做爲理由，因爲這理由太差勁了，表示自己吃不了苦、禁不起考驗，於是乎「興趣不合」變成每一個人最常用的理由。

其實事實的眞相十分容易檢驗，因爲如果眞的對某事有興趣，願意成爲你的事業或志業，你會很清楚知道你要做什麼？你也很清楚你的目標是什麼？而不是只知道「這不是我的興趣」，對什麼有興趣卻一無所知。

老實說，眞正對某件事有興趣，而傾一輩子去追逐的人少之又少，這種人都是人中龍鳳。而大多數人都是在隨緣下接觸一件事，熟悉一件事，習慣成自然，終於喜歡這件事，最後因爲這件事，而成就了自己一身的事業與志業。

最悲哀的人則是禁不起挫折的打擊，跨不過生命陷落的缺口，而退縮、而轉變，學書不成，學劍也不成，回首一生，啥都不是。

沒有人會認輸，沒有人會逃避，因爲理由都是「興趣不合」。弱者通常一輩子找不到自己眞正的興趣！現在你正在尋找自己的興趣嗎？

後記：

我一生只做一件事：媒體工作。但內容有無數的轉換，可以是記者，可以是編輯，也可以是業務、發行、企劃等等，所有的變動都是在同一個行業中。我也常有低潮，但我堅持，不輕易轉變。最後在這個行業中，我累積了可能的最大成果。

原因無他，我克服了無數次「這不是我的興趣」的直覺判斷！

58. 營造自己的世外桃源

如果你是一個主管，不論你的部門是三個人，或者三十個人，你都有一定的空間，在外在混亂而不上軌道的公司中，營造在你自己的桃花源，而你要做的就是理解公司的不足，少去抱怨公司的無能，把有限的精力，用在部門內的流程與效率改善，讓你的團隊、你的部屬，在你的羽翼下，努力的改造現況，追逐更好的績效；你無力使公司變成最好的公司，但可以使你的部門變成最好的部門，而你就是那個能改變現況的最佳主管。

在我創業的過程中，公司從來就沒有井然有序過。所有的主管都向我抱怨，公司沒制度，公司人手不夠，公司的作法沒有規範，公司的規定不合理。通常我都無言以對，因爲他們說的都是事實，在我資源有限的時候，我只能把有限的資源，投注在關鍵的流程上；至於非關鍵的工作，我只能聊備一格，能做多少算多少，不能用正規的方法、配備必要的人力，給予應有的對待，因此公司沒制度、不規範，這絕對是眞的，同事的抱怨，也都是對的。

但是我也見過不抱怨的主管。這個主管在十分緊急的狀況下，出任一項艱鉅的職位，前任行銷主管因故離職，這位主管在我的請託下勉強上任。但在後來的兩年中，他成爲我經驗中最佳的行銷主管。用最有創意的方法，做了許多近乎免費的行銷活動。借重外部的協力夥伴，發揮整合行銷的效果，創造了很多令人意想不到的成果。

最讓我意外的是，他從來不抱怨公司資源少、行銷費用不足（這是所有行銷主管都會做的事）。有一次到大陸辦一次大型的行銷活動，我眞正見識到他的工作內涵。由於出門在外，能帶的人手極少，但他有條不紊的安排每一個人的工作，再加上他自己，用最有效率的方法完成任務。他的團隊是一個默契十足、緊密結合的高效率團隊。完全沒有我公司常見的混亂，他用他自己的方法，在一個不上軌道的公司，營造出適合自己工作的世外桃源。

這個案例，讓我體會到一個傑出的主管，應該有能力改變環境。要在職場中，尋找一個理想的工作環境，幾乎是不可能的（任何組織都有缺點）；與其不斷的抱怨組織的不足，協力單位的不配合，資源的不充分，不如把環境當作不能改變的前提，用自己的力量，用自己的方法，嘗試改變與突破，這才是傑出主管

的本色。

事實上，當許多主管向我抱怨時，我是無能爲力的，許多組織上的不足，是公司的現況做不到，而不是不爲。因此面對抱怨，我只能難過。前述那位傑出的行銷主管，其實他明白所有的實況，他不願讓我爲難，他把公司的不足，當作不可改變的假設，然後在這個基礎上，用他自己的力量，尋求解答，他無力改變整個公司，但他可以在他自己的部門內，創造一個適合他以及他的部屬的工作環境的桃花源。當然在這樣的認知下，他的工作成果，比起許多其他的單位來說，都要傑出許多。

如果你只是一個工作者，自己能掌握的因素太少，自己的空間太小，因此要塑造自己的世外桃源的可能性不高。但是，如果你是一個主管，不論你的部門是三個人，或者三十個人，你都有一定的空間，在外在混亂而不上軌道的公司中，營造在你以下的桃花源，而你要做的就是理解公司的不足，少去抱怨公司的無能，把有限的精力，用在部門內的流程與效率改善，讓你的團隊、你的部屬，在你的羽翼下，努力的改造現況，追逐更好的績效；你無力使公司變成最好的公

司，但可以使你的部門變成最好的部門，而你就是那個能改變現況的最佳主管。

後記：

危邦不入，亂邦不居，旨哉斯言，但如果舉天下皆危邦怎麼辦？有的人期待找一份安定的工作，找一個營運良好、制度健全的公司，但這太難得了。待在危邦中，又要快樂工作，營造自己的桃花源，這是我苦中作樂的方法。

59. 大氣、骨氣、志氣

大氣，指的是氣量寬宏，也就是心胸寬大，和心胸狹隘的人相處一輩子，絕對痛苦，因為夫妻要相互忍讓，大氣的男人，才能託付終身。

骨氣，指的是有自己的原則，有自己的看法，絕對不為名為利，委屈妥協，扭曲公理正義。

志氣，是要對自己有期待，對未來有想像。

一個年輕人帶著她的男朋友來看我，因爲他們考慮要結婚了。在沒決定前，希望我這個老長官幫她鑑定一下。

我沒有告訴她，我對她男友的看法，但是我提供了三個檢查標準：大氣、骨氣、志氣，請她自己判斷。

大氣，指的是氣量寬宏，也就是心胸寬大，女孩子選丈夫，就好像買樂透一般，誰知道那個很愛你的男朋友，未來會不會變成「狼人」，會受到什麼引誘。但

和心胸狹隘的人相處一輩子，絕對是痛苦，因爲夫妻要相互忍讓，大氣的男人，才能託付終身。

骨氣，指的是「富貴不能淫、威武不能屈」，也是孔夫子所說的「造次必於是，顚沛必於是。」有自己的原則，有自己的看法，絕對不爲名爲利，委屈妥協，扭曲公理正義。做丈夫的就是要讓妻小倚賴，一輩子挺不起腰桿的先生，不要也罷。

志氣，是要對自己有期待，對未來有想像。不論自己現在有多艱難，處境有多卑微，一定不會喪失信心，不斷努力向上，青雲有路志爲梯，深信明天會更好，這是做爲先生、丈夫的志氣，也是一家人未來的指望。

老實說：能符合這三項標準的男孩子實在太少，是稀有動物，根本找不到，但我的意思是：只要有心，用這三項標準來自我要求，來成長學習，期待未來能成就這三種特質，就是値得女孩子託付終身的對象。

其實這三項標準不只是用在擇偶上，也用在職場中，不論男女，都可以用這三項指標自我檢視。

職場中，你很容易發現到處存在著小鼻子、小眼睛的人，只算自己的利益，

只算眼前的利益，爲了比隔壁的張三，每個月少五百元薪水，就憤憤不平；因爲主管沒注意到你傑出的表現，就認爲組織不公平，主管是昏君；小算盤打得精，充滿了街頭小聰明，但缺乏大處著眼的決斷，缺乏氣派恢宏的策略思考，這種人成不了大器。

更多的人諂媚老闆，鑽營苟且，只希望獲得主管關愛的眼神；還有的人爲了「五斗米折腰」，完全沒有原則，是非不分、事理不明，這種人在組織動亂之際，也是沒有骨氣的人。

當然你也很容易發覺，還有許多人只是領一份薪水，對未來沒有想像，做起事來，但求無過，不求進取，反正天塌下來有高個兒的人頂著，組織中充斥著這種打混、摸魚，過一天算一天，沒有志氣的人。

工作者要能以「大氣、骨氣、志氣」自我要求、自我期待。而主管也要能以「大氣、骨氣、志氣」的標準，選才、育才、用才、留才，組織才能欣欣向榮。午夜夢迴時，每一個人不妨捫心自問，自己是什麼樣的人？

後記：

我討厭小心眼的人，我不齒沒立場、沒原則、貪生怕死的人，我看不起對自己沒期待的人。

其實我不知道，把這三項條件用在擇偶上對不對，但我確定我是這樣自我要求。而這其中，最重要的又是骨氣，因為小氣只讓人相處不愉快，沒志氣則只影響個人的前進，可是沒有骨氣則是品德低下的小人，根本不值一提！

Chapter 6

自慢私房學

逆向操作，反向思考

這些私房體悟，

充滿了我個人的感覺，

其實我也不太明白是否具有學理基礎，

但至少在我的人生實驗中是正確的，

就姑且稱之為「自慢私房學」吧！

股票市場講究「人棄我取，反向操作」，當擦鞋童、菜籃族都進場買股票時，就是高檔反轉向下的徵兆，要趕快賣股票。反之就應買股票，這是股票投資的真理。

我不做股票，可是我卻具有做股票的天性。我的看法、想法，經常與大眾背道而馳。許多事，當大家都說不可時，我卻獨具慧眼，勉力而為。有些事則是大眾可欲，是大家都喜歡的事，我卻認為是悲劇。

「太好的事，不能當真」就是這樣，太好的生意，我不敢做；連續發生好事，我會害怕；太大的禮，我不能收，好日子過久了，就快變天了。當然太壞的事，也代表轉變的可能。

獲利極大化，是商場共識。但我會認為：「最後一塊錢，手放開」，留給別人一點餘地。同樣的，面對大眾的質疑、反對，這時候要「Get it done & let them howl!」這是「雖千萬人吾往矣！」在群眾中，當每一個人都瘋狂時，我告訴自己，要冷靜，不能隨樂音起舞！

在一生中，我曾經歷內心最大的一次轉折，就是從一個不相信管理的人，幡然悔悟，變成一個相信管理的人，這是一場創意與管理的大論戰，但沒有人和我辯論，是「文字工作者何飛鵬」和「經營者何飛鵬」的論

戰；也是「工作者何飛鵬」和「創業者何飛鵬」的討論；當然還有「創意者何飛鵬」與「執行者何飛鵬」的討論，這場兩種角色的內心大辯論，徹底改變了我。

論戰的結果，管理者沒有贏，但讓我學會了管理；創意者也沒有輸，但讓我知道了什麼時候該要收斂創意至上。

論戰之後的最大贏家是公司，因為我從一個不會經營公司，老是賠錢的人，變成一個有效率的經營者，賺錢是自然不過的事。

〈當我不再相信創意之後〉是描述我整個改變的過程，我需要對創意思維大破，才能啓動對管理思維的大立，我被所有的文化創意人，視為背叛者，但我用團隊效率與經營成果的改變，讓同業閉嘴。

〈創意形成與創意的執行〉則是一篇釐清觀念的文章，這篇文章之後，我內心的辯論也就結束了。事實上，外界對我背叛創意的質疑也從此煙消雲散。

這些私房體悟，充滿我個人的感覺，其實我也不太明白是否具有學理基礎，但至少在我的人生實驗中是正確的，姑且稱為「自慢私房學」吧！

60. 太好的事，不能當真

「樂極生悲」是人人皆知的成語，「利多出盡」是股市通路的行話，意思都差不多，代表太多好事之後，一定有壞事出現，狂喜之後，必有大悲，面對好事，一定要小心。

一個朋友聊到大陸的一個投資案，是一個工業用氣體的生意，在同一個鎮上，有幾個工廠，有一個工廠會產生大量的廢氣，另幾個工廠則需要使用氫氣，現在都是用桶裝，從外地買來。這個計畫是回收廢氣，純化成氫氣，再鋪設管線，直接賣給其他幾家工廠，由於距離短、省卻長途運輸費，非常有效率，因此，這個氫氣投資計畫回收非常快，總投資人民幣兩千萬元，大概八個月就可以回本，而且下游使用者的價格已經較其現在購買價打了六折，這眞是一個雙贏的計畫。

對這個計畫，我們共同的結論是：「Too good to be true.（太好，以至於不會是眞的）」因此遲遲不敢下手。

另一個故事，則發生在另一個朋友身上，一個裝潢良好，位在台北鬧區的餐廳，要以非常便宜的價格出讓，價格好到買下來，立即轉手都有錢可賺，幾乎是閉著眼睛賺錢的好生意。這位朋友迫不及待的買下來，結果這根本是黑道設下的陷阱，從此脫不了身。我們不解，平常聰明的朋友，爲什麼會做笨事？他說：看到好生意，鬼迷心竅！

每一個人都在期待好運，期待好事發生在自己身上，期待上天掉下來禮物，讓我們有意外的驚喜、意外的收穫。但眞有這樣的事嗎？我的經驗是沒有，就算有我也不敢想、不敢承受。因爲如果眞有這麼好的事，我不可能是第一個看到、發現的人，那麼在我之前發現的人，難道他們是笨蛋嗎？爲什麼沒有捷足先登？不！一定是其中有什麼風險，我沒有看到、沒有察覺，因此別人也不敢，機會才留給我，我沒有三頭六臂，這種太好的事，我最好也不要碰！

「太好的事，不能當眞」是我一向的邏輯，尤其是意外插入與我本業工作無關的好事，絕對不會是眞正的好事，絕對不能當眞。

如果與本業有關，你在某一個工作或行業中待得夠久，你會遇到困境，當然

也會遇到好事，你會意外得到一個好生意，這是可理解的，這是你守候很久，夠有耐性的回報。但通常這種事不會是「Too good to be true」，也是你能力範圍內能解讀的。

但與你本業無關的好事、太好的事，絕對不能當眞，否則一定會深陷泥淖。這絕非悲觀，一般人不會忽然去做一件與本業不相干的事，通常會去做的原因是貪心，因爲覺得太好賺、太容易搶到錢，以至於鬼迷心竅，一頭栽入，結果被隱藏的風險困住，不得翻身。

不只在生意上太好的事，不能當眞；在工作上，我也有敏感的、預先綢繆的警覺與悲觀，每當產生一件好事，我會敏感的認爲接著可能要有壞事發生，因此要更小心。如果是天大的好事，我更會告誡自己，這可能是「利多出盡」，福兮禍所伏，禍兮福所繫。老天爺是公平的，好事是糖衣，好事是迷幻藥，通常在順境中，我們都會種下禍根。至於太好的事，絕對不能想、不能看，因爲極可能是陷阱！

後記：

曾經有個老闆想要買一家公司，但仔細分析後，這個生意實在太好，好到覺得其中必有陷阱，因而決定放棄，事後證明那根本是個騙局。

所有的金光黨、所有的騙術，利用的都是人的貪心，因為貪心，所以上當，所有的人都難免鬼迷心竅。在這方面，我是個悲觀主義者，不相信好事，或根本認為不可能有好事，才能免於上當。我只相信千辛萬苦之後，所得到的東西，才是真的。只有辛苦錢，沒有快錢，也沒有容易錢，這樣反而最安全。

61. 朋友從今天開始交往

大多數人畏畏縮縮，對陌生人害怕，覺得不認識的人很難溝通，很難講得上話，這是為什麼「陌生拜訪」是銷售行為中最困難的一項。事實上，只要自己胸襟開闊，不畏懼陌生人，陌生人也就不會拒絕你於千里之外，就把陌生人當今天開始認識的朋友吧！

一個主管來拜託我，希望我替他打一個電話給一位業界大老，詢問一位離職員工的狀況，這個離職員工曾是這位業界大老的助理。我問這位主管，你爲什麼不自己打呢？你應該也認識他。主管回答：對方是大老，而且我和他不熟，不好意思麻煩人家！

類似的情境，一個行銷主管希望我幫他介紹一位企業界的朋友，他有一個聯合行銷案，要和這個朋友的公司合作，這個行銷主管一再強調，這是一個非常有創意的案子，對雙方的公司都很有利。

我問這位主管，如果是這麼好的案子，你應該可以說服對方，爲什麼需要我

幫你介紹？他的回答也是不認識對方，不好意思！

這兩個案例，我都拒絕幫他們介紹，他們只好自己打電話，但結果一樣，他們都順利完成任務，並且擴大了自己的人脈！

根據我的經驗，大多數的年輕人，臉皮薄、怕麻煩別人，就算有事需要別人幫忙，也不敢開口，通常都需要透過別人輾轉介紹，繞了一大圈遠路，最後才搭上線。曠日廢時不說，更多欠了很多人情。

年輕的我也是如此，不認識對方，害羞、不敢開口。直到有一次，我實在找不到任何的中間人幫忙，只好硬著頭皮拜訪，沒想到對方一口答應，而且丟給了我一句一輩子受用的話：年輕人，別擔心，有話直說，「朋友可以從今天開始交起」，今天你要我幫忙，改天我也會找你幫忙！

這位開朗的朋友，改變了我畏畏縮縮的交朋友態度。從此以後，對認識的朋友，我經常直率開口，請他們幫忙。因為互相幫忙，互相麻煩，交往越來越深。至於對不認識的人，如果有必要，我更勇於開口，只要不是太嚴重的事，我都會直接接觸，直接尋求協助。而且成功率甚高，當然也因此認識更多人，交了更多

朋友。

我逼迫主管自己面對不認識的人，是因爲我明確知道他們絕對可以自己完成任務，他們所欠缺的只是信心，只是開放的胸襟、只是開朗的態度，而這種能力，需要訓練、需要培養。

培養「朋友從今天開始交往」的開放態度，首先要培養的就是願意幫助別人的寬闊胸襟。當你願意隨時隨地幫助任何一個需要幫助的陌生人時，這代表著你隨時都散發出願意「與人爲善」，願意交朋友的魅力，因此你不會介意認不認識，只要有機會你都願意幫忙或被幫忙。如果有需要，你不會害怕向陌生人請求協助，因爲你也曾經幫助過很多不認識的人。

這並不是利益交換，因爲幫了別人不能指望回報，但卻讓你能有信心面對所有人，尋求協助，互相幫助，因爲你隨時隨地準備交新朋友，隨時願意助人，也願意接受幫助。

後記：

朋友不只可以從今天開始交往。更多的狀況是不打不相識，從衝突對抗中，經過化解而認識，而成為朋友。先有衝突的朋友，反而容易交得深，因為在敵對中，反而可以更深刻的認識彼此的個性，一旦歧見化解，只要性格相合，更易交往。

62. 最後一塊錢，手放開

清楚明白是優點，但如果計算到一分一毫，那又變成處處計較的小人；努力讓獲利極大化，是好生意人，但如果務期賺到每一分一毫，那就是趕盡殺絕，讓對手無路可走，只有狗急跳牆。在關鍵時候，有時需要有放人一馬的豁達，也需要水清無魚的模糊。

做生意，賺到能賺的每一分錢，省下該省的每一分錢；理論上，這是一個好生意人的必要條件。

可是我也聽過另一種評論，有人評價一個商場上極精明而且形象不是很正面的商人：「他是一個能賺一百元，如果只賺到九十九元，回家還要自責、懊惱不已，連一塊錢也不放過的人！」言下之意，有不屑、有鄙視，似乎這人是個不近人情、冷酷無情、極難相處的人。

台語有云：「買賣算分，相請不論」（台語發音），指的是只要做生意，就要錙銖必較，計算到每一分錢；但請客的話，再大的錢都不計較。

很明顯，好生意人的精打細算，計較每一分錢，似乎是明確的共識。但是如果眞有一個人連一塊錢也不放過的話，似乎並不是大家認同的大生意人與好生意人，其間的差異何在呢？在公司裡，我要求每一個事業單位主管精打細算，省下每一塊錢，杜絕不應有的浪費，長此以往，養成了每一個主管計較每一分錢的習慣。有一次我發覺集團總部的共通費用分攤，竟然連幾百塊錢的費用，都要去議定分攤比例，按比例分攤到每一個單位，這令我啼笑皆非，沒想到主管們會計較到這種程度！

經過這次的經驗後，我對好生意人、好經營者的定義有了新的註解：精打細算每分錢，企圖要賺到每一塊錢，是應該的；但對小數、尾數，或者最後一塊錢，故意視而不見，以免因趕盡殺絕，傷了感情、和氣，也讓自己變成一個氣量短小的人。

我的習慣是在心裡仔細打好算盤，精準計算所有的生意，讓獲利極大化，明確知道如果我趕盡殺絕的話，能得到多少。然後，自己再下一個決定，要給對方留多少餘地、留多大的尾數，通常能賺一百元的話，我會在賺到九十九元時，手

放開，替對手留餘地，為未來的合作留空間，避免給人吃乾抹淨的惡劣印象。

有時候，有人會覺得我有點呆，明明還有一塊錢可以賺，我卻似乎故意漏掉，但長期以來，我知道我因而得到更多的認同，更多的人緣，大家知道，我是一個不會趕盡殺絕，我是一個會在關鍵時候給人留餘地的人。許多第二筆生意因而成交。這也是我經常自我勉勵的話：做到第一筆生意不叫成功，做到第二筆生意，才是真正的成功。而最後一塊錢，手放開，則是第二次生意成功的要件。

我告訴我自己，精打細算是必要的，但是打大算盤，理所當然，千萬別打小算盤；小算盤打多了，不但自己氣量短淺，形容醜陋，而且會讓所有的人面對你的時候，打起精神、全力以赴的對付你，因為你是個超級聰明的人，一不小心，就會上你的當。只是當所有的人都聚精會神、精打細算時，你絕對討不到好處，只會更加困難。

後記：

有一個讀者問：我不是不賺最後一塊錢，根本是賺不到錢。我知

道大多數人缺乏的是積極賺錢的精打細算，有的僅是減少花錢，保守型的精打細算。不過不管那一種精算，也都有打大算盤與小算盤的差別，大算盤大處著眼，計大利、避大害；小算盤則計較蠅頭小利，有時只會傷和氣，突顯自己的氣量短淺！

63. Get it done & let them howl！

不做大事，枉活一生，一做大事，卻會面對眾說紛紜的複雜情境，這時候需要的是冷靜、自信與毅力，只有把事情做出來完成它，才會讓大家閉嘴。

英國知名學者班哲明・喬厄特（Benjamin Jowett）的名言，流傳千古，是每一個從事改革，力求突破與創新的人，在面對一般凡夫俗子的冷嘲熱諷時，必需要有的認知與態度。

每一個人都生活於外在的評價中，相關的人當然有權評價你的好壞，你的同事、部屬、上司、董事會、股東……，他們都是利害關係人，你的所做所爲，都要受公評。就算不相關的人，他們也可以用感覺來評價你：那個人不錯、那個人看起來討人厭……，每一個人都活在「評價」的漩渦中。

面對評價，每一個人做得最多的就是解釋。年輕的時候，一到會議桌上，只要談到我、談到我所做的事，不論別人給的是建議，還是批評；不論別人說話的

立場是善意、還是惡意；不論說話人的分量是如何；不論別人說的話，會不會影響對我的評價。我都努力的解釋、努力的說，就怕別人看不起我、說我笨，我像個刺蝟，得罪人而不自知，有時更是讓親者痛、仇者快！

我所帶的小朋友，他們面對我，也一樣努力的解釋。我心情好的時候，就笑著告訴他們：別急！我只是說說我的意見，並不是反對你們的看法，不必一再向我解釋。當然，如果我心情不好，就有人倒大楣了。

事實上，世界上大多數的事，並沒有標準答案，在過程中，每一個人也都是在自我判斷尋找答案，也沒有人敢說自己的答案一定對。如果所有的事都要「共識決」，相信世界上大多數的事都要停擺。問題是人怕被評價，卻又愛評價別人，因此，所有的事、所有的人都被各種批評、意見、看法、意識形態……扭曲得不成人形，「解釋」則成爲每一個人最無力、最可笑的自衛行爲。

十九世紀英國知名學者班哲明．喬厄特，在面對外界的批評時，說了一句流傳至今的名言：「Never retreat, never explain, get it done, and let them howl.」意思就是「不撤退、不解釋，把事情做對做好，外界笑罵由他！」

這句話現在被廣泛用在各個地方，不外乎鼓勵自己，勇往直前。雖然也不乏民主式的政治領袖，引用這句話來遂行其獨裁冒險行爲。但一般而言，用在複雜情況、處境艱難時，這句話確實伴我走過各種難關。

我喜歡冒險，我喜歡新創事業，我也喜歡面對複雜而麻煩的情境，安逸的日子我沒興趣。而這種情況往往最七嘴八舌、莫衷一是，而且老實說，可能包括我自己在內，都不見得明確知道該怎麼做。這時候，我唯一該做的事是打起精神、全力以赴面對，對所有外界的意見，我要仔細傾聽、冷靜分析，但絕對不要去「解釋」，如果我解釋，就是我固執，我不解釋，我才能冷靜思考、廣納百川，尋找最佳答案。

而當我下了決定後，所有外在的聲音，都會淪爲背景音樂，就好像戰場上的交響曲，而我的眼前只有目標、只有獵物，一直要到Get it done，我才會再聽到外界笑罵的聲音，但這也都是「得意笑閒人，失腳閒人笑」的人間肥皂劇劇情吧！

後記：

一個讀者問我，當所有的人都反對你時，你怎麼敢勇往直前？這是一個好問題，其中的關鍵在冷靜與傾聽，冷靜是要趨趕熱情所形成的衝動，傾聽是要判別別人意見的思路，當能冷靜的去除自己的成見時，別人的意見是否正確，就會清楚明白，如果別人的意見有意義，那就接受、修正後再勇往直前。

至於解釋，是最無聊、無謂的行為，因為在眾說紛紜時，溝通完全無助於化解歧見，只會引起爭辯，讓自己陷在情緒中，這是最危險的。

64. 照計畫賺錢與照計畫賠錢

所有工作的意義，如果都化為金錢，用金錢來衡量所有工作的價值，那有許多賠錢的事，我們都不會做，人生會少了許多可能。

這時候我們需要金錢以外的價值觀，如果過程我會滿足，就算賠錢，那是我享受過程的費用，可能我們得到的是金錢不能衡量的東西，這樣我們的人生中會出現照計畫賠錢的可能。

做爲文化傳媒工作者，較諸一般的企業經營，多了一項社會責任與文化理想的困擾，許多事在正常的盈虧計算之外，常常會有文化理想與社會責任的思考。我們經常徘徊在生意與意義之間，迷失了自己。

我們思考某一本書是否該出版時，第一個考量的當然是有沒有生意做，能賣多少本？成本率是多少？毛利率是多少？賣多少本能平損？這些都是很簡單的計算，一張財務試算表會解決所有的問題，有時候連思考與判斷都用不上，因爲數字會告訴你一切。

我們的困境不在這裡，許多時候，我們的社會責任與文化理想會油然而生，許多書，因為「我」喜歡，因為「我」覺得有意義，因為「我」覺得社會上需要這本書，更因為「我」這本書對社會改變、進步有價值，「我」對這本書的出版有責任，做為一個文化人，「我」應該出版這一本書。

這個時候，財務試算表就不夠用了，可能表上告訴我這本書沒錢賺，甚至會賠錢，但是我的文化理想、我的社會責任，讓「我」無法拒絕，讓我對著財務試算表無所適從。

有很長的時間，我採取「混合思考」：雖然沒錢賺，但有意義，就當做理想吧，還是出了吧！許多書就在這種情境下出版。問題是這種狀況讓我心思複雜，一邊想的是生意，一邊想的是意義。想生意，讓我不敢放手一搏，苛扣成本，犧牲品質，爲的是有更好的毛利率；想理想，又讓我去做一件生意上沒把握的事，結果通常是悲劇收場，錢沒賺到，社會上對這本書的好評也不多。

我慢慢想通其中的道理，當一件事有兩個目標時，價值的衝突，邏輯的混淆，會讓你無所適從，尤其是「沒賺錢，就做理想」或許「做理想，順便還可能

賺點錢」這兩種思考，讓我其實沒有真正想通兩者的關係，在浪漫中做了許多錯事！

直到有一天，我決定把兩件事獨立思考。要不談生意，只問能不能賺錢；要不談理想，只問對社會有沒有意義。談生意時，只有財務試算表，能賺到足夠的錢，我才決定做，一旦決定做，就把「資本主義魔鬼」的精神拿出來，斤斤計較成本、費用、每個環節，務其獲利極大化，這是「照計畫賺錢」的生意模式。

而談理想時，我先想的是，這本書對社會的價值及意義，更要精準的判斷其價值高低，意義多寡。然後再拿出財務試算表，仔細算一下要花多少錢，會賣多少本，結果可能會賠多少錢。賠這些錢，出版這本書值不值得，賠這些錢，會不會影響公司的營運，如果賠得起，又值得，那我就「照計畫賠錢」，把書做到極致，把書的社會意義極大化，這是另一種形式的「花錢買義」的過程。

當我把生意與理想獨立思考之後，一切都豁然開朗了，失誤的判斷變少了，要不有生意，要不有意義，兩者都可以按計畫完成。

照計畫賺錢與照計畫賠錢，是非常重要的生意邏輯，尤其在思考新事業時，

我們常為了少賠一點錢而犧牲某些環節，沒做到該做的事，導致新事業半途而廢，「照計畫賠錢」是開創新事業的關鍵思考，只要在計畫中，一切都要做到位，才會有好結果。新事業的培育是成敗問題，而不是成本高低問題，唯有對賠錢有準備，不擔心賠錢，新事業才有成功的可能

後記：

這個概念，說穿了不值一文，所有走預算制的公司，計畫都有賺有賠，也都是照計畫賠錢！

差異在於預算制下的計畫，就算賠錢，那通常是在培育期，整個計畫終究會賺錢，只不過會歷經一段時間的賠錢而已，這種賠錢，你不會害怕、不會緊張。

而這裡所謂的「照計畫賠錢」很可能指的是看不到賺錢可能的賠錢，賠錢的目的不是為未來賺錢，而是有其他考量，也許是「花錢買義」，也許是探索試驗！

65. 憤怒的代價

歷史上吳三桂的衝冠一怒為紅顏，一方面是衛道學者的負面教材，一方面也是浪漫男人的瀟灑作為。無可否認的，憤怒是每個人情緒上的重要議題，如何控制、如何管理，將影響每一個人的一生！

年輕的時候，承辦一個大活動，需要一家建設公司參與贊助。整個溝通的過程，痛苦不堪，這家知名建設公司，從頭開始就非常不認同這項活動，也表明不願參與的意願。但如果這家指標性的公司不參與，整個活動就注定要失敗。我在無路可走的狀況下，採取了絕不放棄的死纏爛打策略，一直糾纏到底。

最後一次，我直接找到這家公司的總經理，使盡渾身解數強力說服，沒想到這位總經理被我惹毛了，以很不禮貌的態度要趕我走，我找到機會，把他的不禮貌，擴大爲對我的公司的不尊敬，終而以吵架收場。

事後，這家公司爲了息事寧人，不但捐錢參與活動，而且付了更高的代價，擺平這件事。當然這位總經理，不久也就從公司離職了。對這件事，我始終感到

遺憾，我感覺到我似乎設了一個陷阱，激怒了這位總經理，擴大了事端，才達成我的目的。嚴格說來，這位總經理是被我激怒下的受害者；對他，我有著難忘的歉疚。

從中我學到一個教訓，就是憤怒是要付出代價的。無論如何要控制自己的情緒，不能做出任何非理性行爲。

可是知易行難，這一生中，我還是常常在情緒波動中付出極高代價。

有一次談判，在不耐煩中，我不自覺的輕拍了桌子。這個小小的舉動，一樣被對手當成把柄，被解釋成失禮、看不起對手的行爲，結果是我不但要道歉了事，在日後的談判中，我也付出了補償代價。

在公司內部會議中，有時我也會被激怒，說出了逾越的狠話，當然，爲這些「狠話」，最後我也付出代價。

我不禁自我檢討，年輕時我就得到教訓，爲何年長了反而經常爲憤怒付出代價？

結論是公司的成長、工作的順境，讓我心高氣傲，忘了我是誰，以至於在許

多情境下，做出不合理、不正確的舉動，我不是被對手打敗，而是被自己打敗。

小心翼翼面對每一件事，變成經常的工作習慣，尤其是處在順境時，更要小心謹慎。我不只告誡自己，不可以憤怒，也不能生氣，就算情緒激動都是危險的。

問題是，我永遠做不到不憤怒、不生氣、不激動。因爲永遠有許多不如人意的事，會讓我生氣、激動。在不得已的狀況下，我只好再退而求其次，爲自己訂下了情緒激動的「三不原則」，以免招來不必要的後遺症。

暫停不繼續是第一不。不論是開會、談判，找理由暫停，穩定情緒，是避免陷入窘境的預防措施。不回應、不說話，是第二不。禍從口出是最常見的不理性行爲。只要不說話，大概不至於陷入危機。最後一不最重要，那就是不做任何決定。情緒激動下所做的決定，百分之九十都是錯的，一切等待情緒平復之後再說！

激怒對方，是高手過招常用手法，而你第一步要做到的就是避免憤怒，以及瞭解憤怒的代價有多高！

後記：

年輕的時候，憤怒是脫韁野馬，常變成我的困擾。但年長之後，經過仔細的自我控制，憤怒變成我的重要工具，在關鍵時候，憤怒變成我表達立場，表現堅決立場，絕不妥協的手段；憤怒有時會是一場激烈的情緒展現，充分讓所有人知道，我已達臨界點，也讓他們知道收斂。當然，最後要回到理性，回到我想要的結果。

這其中的關鍵是，不論怎麼「憤怒」，不能失控，一定要在自己安排的劇本中進行，否則還是要付出代價。

66. 當外界瘋狂時，你尤其要冷靜！

一句男人中的名言：老婆叫我人多的地方不要去。這是男人拒絕同夥邀約的說詞，含意深遠。因為人多的地方，人聲鼎沸、意見繁雜，常會因為喪失冷靜，隨波逐流，陷入不可測的風險。遠離群眾，不隨外界起舞，需要嚴肅的自我訓練。

一個週日下午，老婆提議到郊外走走。我們開車隨意而行，在郊區看到一個巨大的看板，是個超級房地產案正在販賣，我們不經意的下車看看，沒想到真是個不錯的案子，規畫良好，有溫泉、有全方位數位家庭設施，看房子的人非常踴躍，人聲鼎沸；再加上售屋小姐能言善道、招待親切，我們越看越喜歡，結果，我們不只買一戶，而且買了兩戶，一趟郊遊，變成購屋之旅。

回來後，冷靜下來發現，案子雖然不錯，但其實根本用不著，我不可能離開市區，搬到郊外，或許退休之後還有可能，問題是我何時才會退休呢？這一切只不過是個浪漫的衝動罷了！

我是一個浪漫而隨性的人，因爲浪漫、因爲衝動，其實付出了不少的代價，因此，我曾經告訴我自己：「當外界瘋狂時，你尤其要冷靜！」這是我面對複雜的情境，覺得無法自拔時，必須要遵守的規則。

相信每一個人都有類似的經驗，決定除非想清楚否則不買股票，但一到號子裡，人聲沸騰，就跟著下單買了；本來不想喝酒的，但大家一起鬨，結果大醉而回。從衆是人之常情，跟著大家的情緒走，跟著大多數人的感覺走，而忘了自身的處境，忘了自己應有的理性選擇，爲了一時的痛快付出代價，爲了一時的隨性，改變決定，只是不願掃大家的興，只是不好意思拒絕，只是……

在人群中，要保持冷靜是困難的；在情緒高張時，要保持冷靜更困難；當別人掌控全局時，你要保持冷靜，拒絕對你不利的提議更加困難。這是爲什麼我們常會因爲衝動，付出代價，爲一時率性而後悔。

雖然我告誡自己，不隨別人的樂音起舞；當情緒高張時，越需要冷靜。但這還是不容易做到，我還是會買一戶自己完全不需要的房子，還是會做一些事後看

來很荒謬的決定。

看來告誡自己要冷靜是不夠的，還需要有更有效的方法，才能避免錯誤。「絕不同意，絕不做決定」，除非這件事是已經想了很久，做完徹底而完整分析的事。衝動，通常是犯錯的根源，只要你當下不做決定，當下「無權」做決定，「無權」只是一個說辭，讓對方知道你不能決定，逼你也沒用。其實只要錯過了情緒很「High」的當下，經過冷靜思考之後，你就不會犯錯了。

如果你做不到嚴詞拒絕，那麼你至少要做到「今天不決定，下次再說」，「下次」的意思，也就是要讓你自己的情緒冷卻！

「抵死不從」，是基本規則，反正就是不要、不可以、不同意，只要你不點頭，所有的錯誤都不至於立即發生，就還有轉圜的餘地。

不過，如果連「抵死不從」都不能度過難關時，那就只剩下一種方法，那就是「逃離現場」，三十六計走爲上策，人多是非多，逃離人多的地方，逃離你自己不能掌控的情境，絕對是避免衝動，避免犯錯的最後防線！

後記：

拒絕、抵死不從，到逃離，這是拒絕外界誘惑的三部曲，但有時候，其順序要逆反，逃離變成第一步。

許多的情境，你知道外界的誘惑極大，你知道人在現場就會陷入不可測的風險，而自己的自主性變低，當這種狀況時，第一步就應選擇逃離，所有的後果，日後再善後。

67. 菩薩的禮貌

成功的光環，有時會讓人迷失，因而高估了自己的貢獻與能力，低估了組織的力量與能耐，也錯估了外在的形勢，這是能力強的工作者，經常會與組織陷入對抗，導致組織與個人兩敗俱傷，要避免悲劇，對自己的能力保守，對組織謙卑是必要的。

進媒體的第一份工作是記者，那時剛畢業不久，又有幸進了發行量極大的《中國時報》，採訪的又是經濟新聞，台灣的知名企業及老闆，對我這個不懂事的年輕人，待若上賓，不知不覺中，我開始自以為是，覺得自己很「傑出」、很「偉大」，因為所有的人見了我都尊敬有加。

直到有一天，我發覺一個採訪對象，對一位我非常認同的同業，非常不禮貌，我十分訝異，這個同業能力比我強，但卻得不到採訪對象的尊敬，經過仔細思考後，我終於弄清楚是怎麼回事。因為我代表的是大報，他們尊敬的不是我，而是我背後的大報；他們看輕的也不是那位同業，他們輕忽的是那家發行量小的

報社。

這個體驗我牢記在心，「我」和組織是兩件事，千萬不要混爲一談，而這個故事背後，也隱藏了一個管理學上到底是「廟大，還是菩薩大」的有趣話題。

對高階經理人而言，如果能力超強，讓所任職的組織快速成長、風生水起，以一人之力帶動組織變革，扭轉了公司的命運，這個人絕對是個大菩薩，而他所屬的組織，也就是廟，因有大菩薩，而靈驗、而香火鼎盛，這是典型的「廟小菩薩大」！

但是這種情境極爲少見，就算有也只會短暫存在。因爲能以一人之力旋乾轉坤的案例不多，而就算眞有其事，組織的力量會累積，日子久了組織的力量還是大於個人。大菩薩所做的努力，所獲得的成果，全部會彙整成組織的力量，這個廟會益加宏偉壯麗。經過歲月的洗禮，菩薩再大，大不過廟；廟再小，經過許多菩薩的投入努力之後，廟會越來越大。

因此「廟大，還是菩薩大」的管理話題，似乎有了結論：菩薩再靈，靈在一時；菩薩再大，也要有廟依附，無廟不成菩薩，所以廟與菩薩是一個共生共榮的

關係。

由於有了前述的經驗，我很清楚，就算我能力再強，就算我自許成爲大菩薩，但沒有廟的依託，我無法修成正果，因此菩薩應有分寸、有禮貌，應該知道謙卑、應該知道進退。謹慎小心的維持與廟之間的關係，絕對不要高估了自己，低估了組織，這就是菩薩應有的禮貌！

這個禮貌的終極境界，是視每一個自己曾經停駐過的廟，爲自己的家，把廟和自己畫上等號，不只是凡走過必留下痕跡，更要留下認同，我是「大廟中的小菩薩」，而且是永遠的小菩薩。不管我現在在哪裡，我曾經停駐過的組織，都是「我」的組織、「我」的廟！

也許有人會認爲這是一廂情願的「禮貌」，但禮貌不是人應該具備的基本道德嗎？

後記：有人問我：如果公司實在太不合理，個人太有禮貌，不會太軟弱嗎？

我承認，當然有許多公司確實不上道，工作者適度表達自己的不滿是必要的，但不論溝通過程如何激烈，應保持的底線是，絕對不要玉石俱焚，做出與公司同歸於盡的結局，因為這損人且損己。

我認為，公司是現實的，因為現實，所以在可理解的範圍內，絕對會妥協，只要好好溝通，應不難達成自己的期待！

68. 當我不再相信創意之後——創意vs.管理之一

從一個浪漫的文字工作者出發，長期我在創意與管理之間糾纏不清，我不敢要求、不敢管理，深怕冒犯了神聖的創意形成。但所有的工作不能如期完成、不能高品質完成、不能精準的完成，又使我面臨績效不彰，無以為繼的困擾。直到……

那實在是一件很奇妙的事，當我不再相信創意之後，一切都改變了，我所經營的出版公司，一改過去辛苦經營的樣貌，每年穩定的經營、穩定的獲利、穩定的成長，過去一切遙不可及的事，都變成理所當然。

出版與媒體行業，是文化產業、是思想工作、是有理想的工作，當然也是必要創意的產業。如何讓創意飛翔，讓文化人的浪漫、理想，能滋潤文化產品的內涵，因此文化工作者需要尊重，不可管理，否則會抹殺創意形成，阻礙創意產業的經營與發展。這種觀念曾深植我心，再加上我自己也是「文字工人」出身，討厭有形的管理與要求，因此打造一個尊重創意工作者，讓創意能滋養蔓延的工作

環境，變成組織內的「無限上綱」。

因爲創意可遇而不可求，因此創意工作不可限期完成；如果要限期完成，就是執行管理者在謀殺創意。包括我自己在內，交稿時間一拖再拖，截稿日期只供參考，而所有的工作，最後都是在不得已的出刊壓力下，不眠不休，勉強趕工完成。或許我可以這樣說，大多數的媒體、出版、文化、創意產業，都是在類似的惡性循環中「自虐式」的經營。

首先激發我改變觀念的事，是因爲我發覺更長的時間未必能得到創意，延遲也未必能提升工作品質，而且我發覺創意與品質和人有關，但與時間幾乎無關，你找對了人，創意、品質都會有，而且可以預測、可以預期、也可以管理，如果你找錯了人，創意與品質都不可期待，給再長的時間，有再浪漫的環境也沒用。

有了這樣的經驗，我開始在組織內要求「準時、守時」，任何事絕不拖延，所有的人爲意外都可以被管理，不可以要求延遲。公司內最經典的對話是：「如果再多給我三天，我會做得更好！」「不要用品質做藉口，多給三天你也未必寫出更好的稿子，品質不能把握，還是先把握時間！」

經過準時、守時的要求後，工作流程變順暢了，所有的工作變得可以規畫、可以預期、可以管理，下游的協力廠商配合也更容易。奇妙的事，跟著就發生了。公司內錯誤更少，直接成本降低，而產品品質提升、業績提升、整體獲利提高了。其實道理非常簡單，所有的工作流程，和創意無關，都可以被管理，而且嚴格管理所有流程，產品良率提升，錯誤減少，業績獲利當然變好。文化創意產業，在產品生產流程管理，和所有產業沒有兩樣，準時、精準、尋找最佳實務、工作標準化、嚴格檢查、品管等，都是文化創意產業可以適用的方法。

最後我得到清楚的答案，「創意」重要，但那是每一個人內心與腦內的事，創意不能管理，只能激發；但工作，工作流程是實務、是現實的步驟，和創意一點關聯都沒有。於是乎，在工作、在流程管理，我不再相信創意，更不要創意，只要精準的執行，綿密的品質要求。

經過工作上的「去創意化」過程，我的團隊能力大增，因爲內心的創意，因實務流程的順暢，更有時間與空間發揮；而工作實務上的精準效率，形成競爭上的另一種優勢。思想惟創意，工作、流程去創意，我終於能在文化創意產業中，找到管理的眞正意義，但那是在我不再相信創意，遠離浪漫之後。

後記：

這一篇文章，在整個文化出版業界形成極大的震撼，一位同業說我：膽敢冒犯文化工作者的大不韙，把創意工作用流程來管理，那不是要把文化工作者，當成文化工人？

我勇敢承認：文化工作是產業類型的描述，但就內容生產而言，文化、文字工作者，也是生產者，我自己也是一個文字工人，把管理的理念與方法，用到內容的生產上，絕對是可行，媒體工作一樣可以把工作流程標準化、最佳化，一樣可以用PDCA（管理循環，計畫Plan、執行Do、檢核Check、反饋與改進Action）來追蹤管理。

69. 創意形成與創意的執行——創意vs.管理之二

在寫了〈當我不再相信創意之後〉，我的許多同事質疑，在嚴格的管理之後，許多創意跟著被抹殺了，這樣的說法，完全是把創意形成與創意執行混為一談，因而我再寫了這篇文章，釐清創意形成與創意執行的差異。

一輩子從事媒體工作，一輩子寫文章、寫報導，但是我從來不敢說自己是創作者，頂多是個「文字工人」。一輩子依靠創意過活，但我也從來不敢說自己是「創意人」，原因很簡單，不論是作家或是創意人，都是多麼才氣縱橫的工作，豈是我等這種凡夫俗子所能爲。

雖然不是創意人，但工作卻一輩子都要與創意人打交道，尤其當了管理者之後，如何服務、侍候或者管理創意人，更是每天都要發生的事。

創意人氣質不凡，人間少有，要服務、侍候自不在話下，但能不能管理，卻曾經在我心中困惑許久。理論上，創意人只能尊重、只能呵護、只能給予更多的空間，他們的工作是用質量計算，而不是數量，這當然不可以管理，如果用管理

生產線的方法，講究流程、講究規律、限期完成，絕對是謀殺創意人與創意工作。

問題是雜誌要限期出刊，文化產業也是企業，也要講究效率，如果創意人不能被管理，連準時出刊都不可能，公司如何正常營運。

直到有一天，我把創意工作徹底分解、展開之後，一切就豁然開朗了。任何創意工作，都可分解為創意的形成與創意的執行。創意的形成是腦中的事，是偉大的工作，是神龍見首不見尾，不可捉摸的。但是創意的執行，卻是凡人的事，是「垃圾」工作，要綿密的控管與落實才能完成。

創意的形成、發想，不能管理，只能培養，只能用良好的環境去餵養、去激發。但是創意的執行，卻和一般生產線沒有兩樣，要嚴密控管、講究效率、限期完成、降低成本。

以做廣告為例：一個好的廣告創意不可捉摸，但執行好的廣告創意卻一點學問也沒有，如何拍片、如何設計，都只不過是精準有效率的執行而已。

再以編雜誌為例：一個天才的總編輯，創意才氣縱橫，創意的發想，不可管

理，但所有配套的後勤工作，全部都是綿密的執行而已。

因此就算是創意人，不能管理的是腦中的創意，但後續的執行卻要依賴工作紀律與綿密的管理，方能高效率的完成。

以人來分，創意團隊中只有極少數的一、兩個核心創意人，不可管理，其他人也都要綿密管理。以事來分，創意工作只有在最原始的發想，不可管理，其餘絕大多數的執行工作，也都需要綿密的管理，才能確保創意能以高品質完成，執行甚至會決定創意的成效。

從此以後，我知道如何「侍候」創意人，他們不是不可管理，而是更需要管理，只是管理的方式與重點不同而已！

從此以後，面對創意人要求不被管理的自由空間，我會自問：我遇到了畢卡索，還是張大千？如果是，給他們完全自由的空間吧！但就算是遇到畢卡索，他的自由空間也要放在正常的組織以外，不要影響組織內綿密的控管流程，與精準的執行。

從此以後，創意的激發、發想是神仙的事，而創意的執行是凡人的事，沒有人可以假創意之名，行拒絕創意執行的綿密管理之實！

後記：

在這篇文章，釐清了創意形成與執行的分野之後，我就很少面臨創意與管理的爭辯，有些單位的主管甚至把這兩篇文章做為內部的參考。對整個文化創意產業而言，用傳統的自由、浪漫經營法的業者固然很多，但在我的公司裡，卻從此不再有爭議。

70. 勉強別人，理所當然

順勢而為，水到渠成，是大多數工作者期待的情境，但這麼容易的事很少見。大多時候，我們要強力作為，不斷勉強自己、勉強別人，最後才能有一點成果，勉強是人生必學的一課。

一個部門主管向我抱怨：何先生，你不知道這件事多難執行，所有的部門都持觀望態度，因為會影響他們現有的工作，我無權命令他們，也不想勉強他們，公司可否暫停或中止這項計畫！

他的抱怨早在我意料之中，因為他負責的這項工作確實困難，許多單位需要因而改變現有的工作流程，再加上原有工作已很煩憂，所有的人都期待能放棄這項工作。但基於許多原因，公司不能放棄。

我告訴這位主管：你是無權命令他們，但你推行的是公司的政策，理論上他們不樂意配合，可也不至於嚴詞拒絕。你要用各種方法，勉強他們一起配合，可是如果你不想「勉強」別人，那這件事肯定辦不成！

「勉強別人做事」，這可是我這輩子花了最多時間學習的事。年輕的時候，最討厭別人逼迫我做什麼事，總覺得所有的事都應該「自動自發」才完美。因此長大後開始工作，我也「己所不欲，勿施於人」，討厭去勉強別人，盡可能不去勉強別人，也因而面臨了很長一段時間，一事無成，什麼事也做不了，讓別人覺得一點能力也沒有的尷尬狀況！

我慢慢發覺，幾乎沒有一件事是別人樂意去幫你的，每一個人都是在他人不斷的催促、不斷的說服、不斷的溝通、不斷的哀求之下，完成某一件事。譬如：老師「勉強」學生讀書；父母「勉強」兒女用功；小孩「勉強」爸媽給零用錢；主管「勉強」部屬完成工作；業務員「勉強」客戶下單；政府「勉強」人民繳稅……。

我驚覺，這是一個無處不「勉強」的世界，我更驚覺，人生的眞相就是「勉強別人」，而成功的人，就是很會「勉強」別人的人，能力則是用勉強別人來衡量，不會勉強別人的人，就是沒有能力的人。

「勉強」用各種不同的形式存在。最粗魯而直接的勉強叫命令；文雅、含蓄的勉強叫溝通；用道理去勉強叫說服；詭詐的勉強叫欺騙；用好處去勉強叫引誘；

炫惑的勉強叫廣告；不斷的勉強叫鍥而不捨。勉強是一切事物的原動力，任何工作、任何任務，都需要不斷的勉強自己、勉強別人，才能夠完成！

勉強自己的難度，尤勝於勉強別人。就像年輕時的我一般，我視勉強別人爲罪惡，因此不勉強別人有理，勉強自己那就更違背原則，爲何不讓自己快樂點，何需自我勉強？

我終於認清眞相，勉強原來是不可或缺的。學生因勉強而成長，營業人員因勉強而成就業績，工作者因勉強而績效非凡，主管因能勉強別人，而完成困難的任務，老闆因能勉強所有的人，而獲利賺錢。

勉強伴隨著困難而來，因困難，故需勉強；不願勉強別人，其實是無能力勉強的託辭。學會勉強別人，是工作者認清事實，學習成長的開始。

後記：

這篇文章流傳極廣，尤其在許多業務單位，主管影印了這篇文章，要求所有的業務員，努力出門推銷，「勉強」客户購買產

品，可謂推銷無罪，勉強有理。
雖然我始料未及，但這也不違反人生無處不勉強的本質，只要我們努力去追逐，勉強自己、勉強別人都是對的！

國家圖書館出版品預行編目資料

自慢／何飛鵬著. -- 初版. -- 臺北市：
商周出版：家庭傳媒城邦分公司發行
2007[民96]　面；　公分
ISBN 978-986-124-847-9（平裝）
1. 職場成功法
494.35　　96004162

新商業周刊叢書 242

自慢

作　　者／何飛鵬
總 經 理／陳絜吾
副總編輯／王筱玲
文字整理／黃淑貞、李惠美
文字校對／王筱玲、吳淑芳、林徑
封面設計／劉林
版型排版／黃淑華
封底攝影／何經泰

發 行 人／何飛鵬
法律顧問／台英國際商務法律事務所羅明通律師
出　　版／城邦文化事業股份有限公司　商周出版
台北市中山區民生東路二段141號9樓
電話：(02)2500-7008　傳眞：(02)2500-7759
E-mail：bwp.service@cite.com.tw
發　　行／英屬蓋曼群島商家庭傳媒股份有限公司　城邦分公司
台北市中山區民生東路二段141號2樓
讀者服務專線：0800-020-299
24小時傳眞服務：(02)2517-0999
讀者服務信箱E-mail：cs@cite.com.tw
劃撥帳號：19833503
戶名：英屬蓋曼群島商家庭傳媒股份有限公司　城邦分公司
訂購服務／書虫股份有限公司客服專線：(02)2500-7718；2500-7719
服務時間：週一至週五上午09:30-12:00；下午13:30-17:00
24小時傳眞專線：(02)2500-1990；2500-1991
劃撥帳號：19863813　戶名：書虫股份有限公司
E-mail：service@readingclub.com.tw
香港發行所／城邦（香港）出版集團有限公司
香港 灣仔 軒尼詩道235號3樓
電話：(852)2508-6231或2508-6217　傳眞：(852)2578-9337
馬新發行所／城邦(馬新)出版集團
Cite(M)Sdn. Bhd.(45837ZU)
11, Jalan 30D／146, Desa Tasik, Sungai Besi, 57000 Kuala Lumpur, Malaysia.
電話：603-90563833　傳眞：603-90562833
E-mail：citekl@cite.com.tw

印　　刷／中原造像股份有限公司
總 經 銷／農學社　電話：(02)2917-8022　傳眞：(02)2915-6275

行政院新聞局北市業字第913號　Printed in Taiwan

■ 2007年3月30日初版
2007年5月28日初版33刷

ISBN 978-986-124-847-9

定價300元

商周出版

廣　告　回
北區郵政管理登記
台北廣字第 000791
郵資已付，免貼郵

104 台北市民生東路二段 141 號 2 樓

英屬蓋曼群島商家庭傳媒股份有限公司　城邦分公司

請沿虛線對摺，謝謝！

商周出版

書號：BW0242	書名：自慢	編碼：

請於此處用膠水黏貼

商周出版

讀者回函卡

謝謝您購買我們出版的書籍！請費心填寫此回函卡，我們將不定期寄上城邦集團最新的出版訊息。

姓名：________________

性別：□男 □女

生日：西元________ 月________ 日________

地址：________________

聯絡電話：________________ 傳真：________________

E-mail：________________

職業：□1.學生 □2.軍公教 □3.服務 □4.金融 □5.製造 □6.資訊
□7.傳播 □8.自由業 □9.農漁牧 □10.家管 □11.退休
□12.其他________________

您從何種方式得知本書消息?

□1.書店□2.網路□3.報紙□4.雜誌□5.廣播 □6.電視 □7.親友推薦
□8.其他________________

您通常以何種方式購書?

□1.書店□2.網路□3.傳真訂購□4.郵局劃撥 □5.其他________

您喜歡閱讀哪些類別的書籍?

□1.財經商業□2.自然科學 □3.歷史□4.法律□5.文學□6.休閒旅遊
□7.小說□8.人物傳記□9.生活、勵志□10.其他________

對我們的建議：

____

____

____

____

請於此處用膠水黏貼